Gwefr GWYDDONIAETH

7

Keith JOHNSON   Sue ADAMSON   Gareth WILLIAMS

Gyda chymorth: Lawrie Ryan, Jan Green, Bob Wakefield,
David Rowlands, Phil Bunyan, Jerry Wellington, John Wardle,
Les Jones, Kevin Sheldrick, Adrian Wheaton, Penelope Barber,
Ann Johnson, Graham Adamson, Diana Williams.

Y Ganolfan Astudiaethau Addysg, Aberystwyth

Y fersiwn Saesneg:

© Y testun a'r darluniau, Keith Johnson,
Sue Adamson a Gareth Williams, 1993

Cyhoeddwyd gyntaf yn 1993 gan:
Stanley Thornes (Publishers) Ltd
Ellenborough House
Wellington Street
CHELTENHAM GL50 1YW

Y fersiwn Cymraeg:

®Awdurdod Cwricwlwm ac Asesu Cymru, 1997

Cyhoeddwyd y fersiwn Cymraeg gan:
Y Ganolfan Astudiaethau Addysg
Prifysgol Cymru Aberystwyth

ISBN 1 85644 353 1

Ail argraffiad 1999
Trydydd argraffiad Ebrill 2001

Wedi i'r gyfrol hon gael ei pharatoi, cyflwynwyd
y termau *hydoddi, hydoddiant* gan ACCAC am
'to dissolve, solution'.

Cyfieithwyd gan Ceri Williams, John Williams,
Sandra Williams a Delyth Ifan o Wasanaeth
Cyfieithu Clwyd

Golygwyd a pharatowyd ar gyfer y wasg gan
Marian B Hughes a Dafydd Kirkman
Dyluniwyd gan Enfys Beynon Jenkins

Ar ran ACAC: John Lloyd
Aelodau'r Grŵp Monitro: Gwen Aaron,
Eflyn Williams a Hywel Davies

Argraffwyd gan Y Lolfa Cyf., Tal-y-bont,
Ceredigion

Cydnabyddiaethau

Mae'r awduron a'r cyhoeddwyr yn ddiolchgar i'r canlynol am ganiatâd i atgynhyrchu ffotograffau:

t. 4 Martyn Chillmaid, t. 6 ×2 Martyn Chillmaid, t. 7 Martyn Chillmaid, t. 11 (top) Howard Boylan/Allsport, t. 11 (gwaelod) Ancient Art & Architecture Collection, t. 12 Panasonic, t. 13 Keith Johnson, t. 14 (top) Martyn Chillmaid, t. 14 (gwaelod) Jon Gray/Tony Stone Worldwide, t. 15 Alex Bartel/ Science Photo Library, t. 16 Martyn Chillmaid, t. 20 ×2 Martyn Chillmaid, t. 21 Tony Duffy/Tony Stone Worldwide, t. 22 W.H. Smith Group plc, t. 24 International Wool Secretariat, t. 26 (top) European Space Agency/Science Photo Library, t. 26 (gwaelod) British Petroleum, t. 27 Martin Land/Science Photo Library, t. 28 Martyn Chillmaid, t. 29 Martyn Chillmaid, t. 30 ×5 Martyn Chillmaid, t. 30 (top canol) Tony Stone Worldwide, t. 31 Simon Bruty/ Allsport, t. 33 (chwith) Tony Duffy/Allsport, t. 33 (dde) Roger Ressmeyer/Starlight/Science Photo Library, t. 34 Today/Rex Features London, t. 36 Jean Francois Causse/Tony Stone Worldwide, t. 38 Martyn Chillmaid, t. 40 John Walmsley, t. 43 Martyn Chillmaid, t. 44 (top) Peter Correz/Tony Stone Worldwide, t. 44 (gwaelod) Chad Slattery/Tony Stone Worldwide, t. 46 J. Allan Cash Ltd, t. 48 (rhes uchaf – chwith) Rodger Jackson/ Oxford Scientific Films, t. 48 (rhes uchaf – canol) Heather Angel, t. 48 (rhes uchaf – canol) Heather Angel, t. 48 (ail res – chwith) David Thompson/Oxford Scientific Films, t. 48 (ail res – canol) London Scientific Films/ Oxford Scientific Films, t. 48 (ail res – dde) Biophoto Associates, t. 48 (y drydedd res) M. P. L. Fogden/Bruce Coleman Ltd, t. 48 (rhes isaf – chwith eithaf) G. I. Bernard/Oxford Scientific Films, t. 48 (rhes isaf – canol chwith) Alistair Shay/Oxford Scientific Films, t. 48 (rhes isaf – canol dde) D. G. Fox/Oxford Scientific Films, t. 48 (rhes isaf – dde eithaf) G. I. Bernard/Oxford Scientific Films, t. 50 (top chwith) Colin Fountain/Cotswold Wild Life Park, t. 50 (top dde) Gerald Cubitt/Bruce Coleman Ltd, t. 50 (canol chwith) Colin Fountain/ Cotswold Wild Life Park, t. 50 (canol dde) Colin Fountain/Cotswold Wild Life Park, t. 50 (gwaelod – chwith) Alain Compost/Bruce Coleman Ltd, t. 50 (gwaelod dde) Sea Life Centre (Holdings) Ltd, t. 51 (top) Mike Birkhead/Oxford Scientific Films, t. 51 (canol chwith) Biophoto Associates, t. 51 (canol) Michael Fogden/ Oxford Scientific Films, t. 51 (canol dde) Hans Reinhard/Bruce Coleman Ltd, t. 51 (gwaelod chwith) Ben Osborne/Oxford Scientific Films, t. 51 (gwaelod dde) Stan Osolinski/Oxford Scientific Films, t. 52 (top) Tim Shepherd/Oxford Scientific Films, t. 52 canol (prif ffotograff) Jules Cowan/Bruce Coleman Ltd, t. 52 (canol – ffotograff lleiaf) Heather Angel, t. 52 (gwaelod) Dr Eckart Pott/Bruce Coleman Ltd, t. 53 (top) W. Howes/ Frank Lane Picture Agency, t. 53 (gwaelod) Mark Pidgeon/Oxford Scientific Films, t. 54 (top) Bruce Iverson/ Science Photo Library, t. 54 (gwaelod) Andrew Syred/Science Photo Library, t. 55 Biophoto Associates, t. 57 Martyn Chillmaid, t. 58 (top) W. Wisniewski/Frank Lane Picture Agency, t. 58 (gwaelod) Chuck Brown/ Science Photo Library, t. 59 John P. A. Carter/Tony Stone Worldwide, t. 61 Bridgeman Art Library, t. 62 (top) David Scharf/Science Photo Library, t. 62 (gwaelod) Timothy Woodcock Photolibrary, t. 63 Luiz Claudio Marigo/Bruce Coleman Ltd, t. 64 Swyddfa Dwristiaeth Israel, t. 65 (chwith) Tony Stone Worldwide, t. 65 (dde) Jean-Marc Truchet, Tony Stone Worldwide, t. 72 (top) ZEFA, t. 72 (gwaelod) Silvercross Ltd, t. 73 Eric Crichton/Bruce Coleman Ltd, t. 74 ×2 Martyn Chillmaid, t. 75 CEFIC, t. 76 Martyn Chillmaid, t. 77 (chwith) Ecoscene/Platt, t. 77 (dde) Will McIntyre/Science Photo Library, t. 79 Colgate/Palmolive Ltd, t. 80 ×2 Martyn Chillmaid, t. 82 Martyn Chillmaid, t. 83 Ron Sutherland/Tony Stone Worldwide, t. 84 (rhes uchaf – chwith) Andrew Cox/Tony Stone Worldwide, t. 84 (rhes uchaf – dde) John Walmsley, t. 84 (rhes isaf – chwith) John Walmsley, t. 84 (rhes isaf – canol) John Walmsley, t. 84 (rhes isaf – dde) Robert Harding Picture Library, t. 86 (chwith) Petit Format/Nestle/Science Photo Library, t. 87 Don Fawcett/Science Photo Library, t. 88 (top) Anthea Sieveking/Collections, t. 88 (gwaelod) ×3 Petit Format/Nestle/Science Photo Library, t. 90 Katrina Thomas/Science Photo Library, t. 91 (top chwith) Lisa Valder/Tony Stone Worldwide, t. 91 (top dde) Anthea Sieveking/Collections, t. 91 (canol chwith) John Walmsley, t. 91 (canol dde) Anthea Sieveking/Collections, t. 91 (gwaelod) Anthea Sieveking/Collections, t. 93 Smith & Nephew Ltd, t. 94 Anthea Sieveking/Collections, t. 95 (prif ffotograff) Michael J. Howell/Robert Harding Picture Library, t. 95 (llun bach) John Walmsley, t. 98 (top chwith a gwaelod dde) Martyn Chillmaid, t. 98 (top dde) Ysbyty Llygaid Moorfields, t. 98 (gwaelod chwith) Alex Bartel/Science Photo Library, t. 102 John W. Banagan/The Image Bank, t. 105 Brigad Dân Llundain, t. 106 (top) Martyn Chillmaid, t. 106 (gwaelod) Grŵp Dystroffi'r Cyhyrau, t. 109 Robert Harding Picture Library, t. 110 ×11 Martyn Chillmaid, t. 113 Martyn Chillmaid, t. 114 (gwaelod chwith) Vandystadt/ Allsport, t. 114 (top canol a dde) Ian Griffiths/Robert Harding Picture Library, t. 114 (gwaelod canol) Roger Wilmhurst/Frank Lane Picture Agency, t. 114 (gwaelod dde) Linthom-ZEFA, t. 118 Martyn Chillmaid, t. 124 (top dde) Hans Reinhard/Bruce Coleman Ltd, t. 124 (chwith) John R. Anthony/Bruce Coleman Ltd, t. 124 (canol) John Markham/Bruce Coleman Ltd, t. 124 (dde) Agence Nature/NHPA, t. 126 ×4 Kalt-ZEFA, t. 127 (top) Jane Burton/Bruce Coleman Ltd, t. 127 (gwaelod) Tom Ulrich/Oxford Scientific Films, t. 128 Plant Earth Pictures, t. 130 (top) Sidney Moulds/Science Photo Library, t. 130 (gwaelod) Claude Nurdisany & Marie Perennou/Science Photo Library, t. 131 (top) Vaughan Fleming/Science Photo Library, t. 131 (canol) Martyn Chillmaid, t. 131 (gwaelod) Giraudon/Bridgeman Art Library, t. 132 (top) Stephen Dalton/NHPA, t. 132 (gwaelod) Martyn Chillmaid, t. 133 (top) Martyn Chillmaid, t. 133 (gwaelod chwith) Jane Burton/Bruce Coleman Ltd, t. 133 (dde) John Cancalosi/Bruce Coleman Ltd, t. 134 Chris Fairclough Colour Library, t. 135 Soames Summerhays/Science Photo Library, t. 136 W. Broadhurst/Bruce Coleman Ltd, t. 137 (top chwith) Jane Burton/Bruce Coleman Ltd, t. 137 (gwaelod chwith, top dde a chanol dde) G.S.F. Picture Library, t. 137 (gwaelod dde) Eric Crichton/Bruce Coleman Ltd, t. 139 (top) Sinclair Stammers/Science Photo Library, t. 139 (gwaelod) John Cancalosi/Bruce Coleman Ltd, t. 140 (chwith) Adam Hart-Davis/Science Photo Library, t. 140 (top dde) George Bernard/Science Photo Library, t. 140 (gwaelod dde) M. Newman/Frank Lane Picture Agency, t. 141 Luiz Claudio Marigo/Bruce Coleman Ltd, t. 142 (chwith) M. J. Thomas/Frank Lane Picture Agency, t. 142 (canol) J. Allan Cash Ltd, t. 142 (dde) Stephen J. Kraseman/Bruce Coleman Ltd, t. 143 (chwith) Martin Dohrn/Bruce Coleman Ltd, t. 143 (top dde) Wildlife Matters, t. 143 (gwaelod dde) G. D. Plage/Bruce Coleman Ltd, t. 144 (chwith) R. Wilmshurst/Frank Lane Picture Agency, t. 144 (canol) A. R. Hamblin/Frank Lane Picture Agency, t. 144 (top dde) Mark N. Boulton/Bruce Coleman Ltd, t. 144 (gwaelod dde) M. Walker/Frank Lane Picture Agency, t. 146 Tony Waltham, t. 147 Jane Burton/Bruce Coleman Ltd, t. 148 Oscar Burriel/Latin Stock/Science Photo Library, t. 149 Tom & Pam Gardner/Frank Lane Picture Agency, t. 152 Keith Johnson, t. 153 David Cannon/Allsport, t. 154 H. Binz/Frank Lane Picture Agency, t. 155 (chwith) Frank Greenaway/Bruce Coleman Ltd, t. 155 (dde) Frank Lane Picture Agency, t. 156 (top) Hattie Young/Science Photo Library, t. 156 (gwaelod) J. Allan Cash Ltd, t.157 Rod Williams/Bruce Coleman Ltd, t. 158 (chwith) Patrick Clement/Bruce Coleman Ltd, t. 158 (dde) Jane Burton/Bruce Coleman Ltd.

Diolch yn arbennig i Lizzie Mellish a Richard Hindes, ac i Colin Fountain o'r Cotswold Wild Life Park am eu cymorth gyda thri o'r ffotograffau ar dud. 50.

Cynnwys

Ymchwilio i wyddoniaeth

Sut mae ditectif yn **ymchwilio** i achos o lofruddiaeth? Bydd yn edrych am gliwiau ac yna yn ceisio meddwl beth yw ystyr y cliwiau.

Mae hyn yn digwydd ym myd gwyddoniaeth hefyd. Rydyn ni'n edrych am gliwiau ac yn ceisio gweld beth yw ystyr y cliwiau.

Rhaid defnyddio rhai sgiliau sylfaenol wrth ymchwilio i fyd gwyddoniaeth. Mae'r rhan hon o'r llyfr yn eich helpu gyda'r sgiliau hyn. Mae **arsylwi** yn un o'r sgiliau sy'n cael eu trafod.

Arsylwi

➤ Ydych chi'n dda am arsylwi ar bethau? Caewch eich llygaid a cheisiwch rifo sawl peth rydych yn ei gofio am yr ystafell hon.

➤ Nawr edrychwch yn ofalus o amgylch yr ystafell. Sawl peth anarferol welwch chi?

Oes posteri ar y waliau? Beth mae'r posteri'n ei ddweud?

Oes offer atal tân ar gael? Beth yw'r rheswm dros eu lleoliad?

➤ Bydd eich athro/athrawes yn rhoi **sbectol ddiogelwch** i chi. Edrychwch arni'n ofalus. Ym mha ffordd mae'r sbectol wedi'i chynllunio i amddiffyn eich llygaid?

Ydy'r sbectol yn lân? Os nad ydyw, beth ddylech ei wneud?

Gwisgwch y sbectol nes byddwch wedi arfer â hi. Cofiwch y gallwch wneud niwed i'ch llygaid yn hawdd iawn. Meddyliwch sut fyddai eich bywyd yn newid pe byddech yn ddall!

Edrychwch ar yr arwydd triongl diogelwch. Mae'r arwydd hwn yn dangos posibilrwydd o berygl! Pan welwch chi'r arwydd hwn, gofalwch eich bod yn gwybod sut i weithio mewn modd diogel.

Sawl peth sydd wedi'i guddio yn y llun uchod?

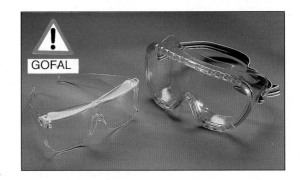

GOFAL

Bydd eich athro/athrawes yn rhoi tiwb profi a darn bach o gemegyn i'ch grŵp chi.

Rhowch ddŵr yn y tiwb profi (tua thri chwarter llawn).

Pan fydd eich grŵp yn barod, rhowch y cemegyn yn y dŵr ac arsylwi ar yr hyn sy'n digwydd. Ysgrifennwch neu ddarluniwch yr hyn sy'n digwydd. Y rhain fydd eich **arsylwadau**.

Wedi i'r arbrawf ddod i ben, trafodwch eich arsylwadau gyda'ch gilydd.
Ydych chi'n cytuno ynglŷn â phopeth welsoch chi? Os nad ydych, beth ddylech ei wneud nawr?

Adroddiad: (dyddiad)
Beth wnaethon ni:

Yn gyntaf, fe roddon ni ddŵr yn y tiwb profi (tua thri chwarter llawn). Yna

Beth welson ni: (cynnwys diagram)

➤ Edrychwch ar y cartŵn isod a'i drafod yn eich grŵp.
Sawl peth **peryglus** welwch chi? Deg?

Ysgrifennwch pam mae pob un ohonyn nhw'n beryglus a'r hyn **ddylid** ei wneud i'w ddiogelu.

Peth peryglus	Pam mae'n beryglus?	Sut i'w wneud yn ddiogel

1 Fel arfer, mae gan bob labordy set o reolau (tebyg i Reolau'r Ffordd Fawr). Ceisiwch ddod o hyd i reolau eich labordy. Darllenwch y rheolau, eu hysgrifennu, yna ysgrifennu'r **rheswm** dros gael pob rheol.

2 Lluniwch boster diogelwch ar gyfer eich labordy gwyddoniaeth. Edrychwch ar un o'r rheolau, ac yna meddyliwch yn ofalus sut i egluro'r rheol yn glir i eraill.

3 Chwiliwch o amgylch eich cartref am bethau allai fod yn beryglus – lle gallai damweiniau ddigwydd. Gwnewch restr. Trafodwch gyda'ch teulu sut y gallech wneud pethau yn fwy diogel.

4 Lluniwch boster diogelwch i'ch cartref.

5 Dychmygwch fod gennych ffrind sy'n dal i fod yn eich hen ysgol. Ysgrifennwch lythyr ato/ati yn dweud eich barn am y wers wyddoniaeth heddiw.

Pethau
i'w gwneud

Arsylwi

Mae **arsylwi** yn sgìl bwysig iawn ym myd gwyddoniaeth.
Mae'n gallu bod o help i chi fod yn *wyddonol*.

➤ Ydych chi'n sylwi ar bethau? Ysgrifennwch (os gallwch):
- lliw y paent yn eich ystafell wely
- lliw gatiau'r ysgol
- siâp gatiau'r ysgol
- yr enw, neu'r rhif sydd ar ddrws yr ystafell hon.

➤ Edrychwch ar y ffotograffau. Fedrwch chi adnabod y ddau beth?
Ysgrifennwch eu henwau.

Mae pobl sy'n dda am arsylwi yn defnyddio eu *holl* synhwyrau,
nid eu llygaid yn unig.

➤ Caewch eich llygaid a *gwrandewch* – sawl sŵn gwahanol
allwch chi ei adnabod?

Dychmygwch fwyta pecyn o greision gyda'ch llygaid ar gau.
Pa arsylwadau fyddech chi'n gallu eu gwneud? Gwnewch restr.

Rhowch gannwyll mewn lle y gall pob aelod o'ch grŵp ei gweld.
Cyn cynnau'r gannwyll, beth am *ddiogelwch*: beth ddylid ei wneud?

Cyneuwch y wic ac edrychwch yn ofalus ar y fflam.

Ysgrifennwch gymaint o arsylwadau ag sy'n bosibl (am y fflam,
y wic a'r gannwyll).

Lluniwch ddiagram o'r gannwyll a'r fflam, ac yna ei labelu.
Ar eich diagram, labelwch rywbeth sy'n **solid**.
Yna labelwch rywbeth sy'n **hylif**.
Yna labelwch rywbeth nad yw'n **solid** nac yn **hylif** ond yn **nwy**.

Beth rydych chi'n arsylwi arno pan fyddwch yn diffodd y fflam?
Fedrwch chi ddisgrifio'r arogl?

Gwresogydd Bunsen

➤ Edrychwch yn ofalus ar wresogydd
Bunsen. Sawl rhan sydd ganddo?

O ble daw'r nwy i mewn i'r
gwresogydd?

Sut mae newid maint yr aerdwll?

➤ Dilynwch y cyfarwyddiadau hyn i
gynnau gwresogydd Bunsen:

1 Rhowch y gwresogydd Bunsen ar fat gwrthwres.
2 Gwthiwch y tiwb rwber am y tap nwy.
3 Caewch yr aerdwll.
4 Gwisgwch eich sbectol ddiogelwch.
5 Ewch i nôl 'tân', agorwch y tap nwy a
chynnau'r gwresogydd.
6 Agorwch yr aerdwll yn araf ac arsylwi ar
y newidiadau yn y fflam.

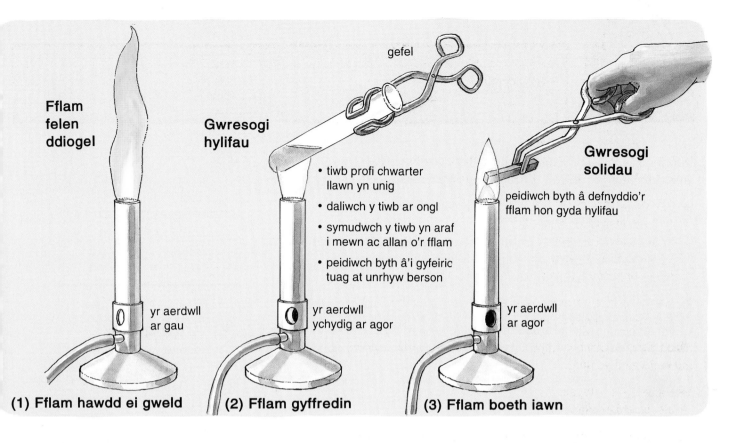

Fflam felen ddiogel

(1) **Fflam hawdd ei gweld**

yr aerdwll ar gau

Gwresogi hylifau

gefel

- tiwb profi chwarter llawn yn unig
- daliwch y tiwb ar ongl
- symudwch y tiwb yn araf i mewn ac allan o'r fflam
- peidiwch byth â'i gyfeiric tuag at unrhyw berson

yr aerdwll ychydig ar agor

(2) **Fflam gyffredin**

Gwresogi solidau

peidiwch byth â defnyddio'r fflam hon gyda hylifau

yr aerdwll ar agor

(3) **Fflam boeth iawn**

a Pa fflam ddylech chi ei defnyddio pan nad ydych yn gwresogi rhywbeth?
b Pam mae'r fflam hon yn cael ei galw'n fflam ddiogel?
c Pa fflam fyddech chi'n ei defnyddio amlaf i wresogi pethau?
ch Pam ddylech chi ddefnyddio sbectol ddiogelwch bob amser wrth ddefnyddio gwresogydd Bunsen?

Gofynnwch i'ch athro/athrawes am ddarn o ruban magnesiwm. Daliwch y rhuban mewn gefel hyd braich oddi wrthych. Yna symudwch y rhuban i mewn i'r fflam. (Peidiwch ag edrych yn syth i mewn i'r fflam.) Beth sy'n digwydd? Beth sydd ar ôl?

Ble caiff magnesiwm ei ddefnyddio
- ar Dachwedd 5ed?
- ger llong sydd ar suddo?

Ydy fflam cannwyll mor boeth â fflam Bunsen? Sut fyddech chi'n gallu defnyddio dau ddarn o ruban magnesiwm i brofi hyn?

Enghraifft o fagnesiwm yn cael ei ddefnyddio

1 Lluniwch ddiagram o wresogydd Bunsen a'i labelu. Ble, yn eich barn chi, mae'r fflam boethaf?

2 Eglurwch:
a) sut i gynnau gwresogydd Bunsen
b) sut i gael fflam wresogi gyffredin
c) sut i gael fflam sy'n hawdd ei gweld
ch) sut i gael fflam lai
d) sut i gael fflam boeth iawn.

3 Mae cael tân mewn sosban sglodion yn y gegin yn beth peryglus iawn. Pe byddai hyn yn digwydd, pam **na** ddylech daflu dŵr dros y fflamau? Pam ddylech chi gael tywel gwlyb a beth ddylech ei wneud ag ef?

4 Ysgrifennwch gerdd fer am fflamau.

5 Pwy oedd Robert Wilhelm Bunsen? Ble roedd yn byw a pha bryd? (Collodd hwn ei lygad am nad oedd yn gwisgo sbectol ddiogelwch!)

Pethau i'w gwneud

Mesur

Mewn gwyddoniaeth, mae'n bosibl na fydd arsylwi gyda'r llygaid yn unig yn ddigon manwl. Yn aml, mae angen **mesur** pethau.

➤ Er enghraifft, edrychwch ar y ddwy linell; pa un sy'n *edrych* hiraf, A neu B?
Er mwyn bod yn hollol sicr, rhaid mesur y ddwy linell yn fanwl gywir, gyda phren mesur. Pa un yw'r hiraf, A neu B?
Beth yw hyd pob llinell, mewn mm?

Yn y wers hon, byddwch yn defnyddio thermomedrau, clociau a silindrau mesur. Mae *graddfa* ar bob un o'r rhain. Dylech geisio mesur mor ofalus ag sy'n bosibl ar y raddfa, i'r *marc agosaf* bob tro.

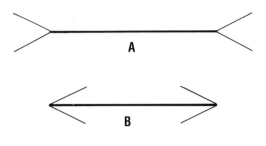

Twyll llygaid
Pa linell yw'r un hiraf?

Defnyddio silindr mesur

Mae'r silindr hwn yn mesur mewn unedau sy'n cael eu galw'n **centimetrau ciwb**, sef **cm³.**

Edrychwch ar y raddfa sydd wedi ei rhoi ar silindr mesur neu ar jwg. Beth yw'r **cyfaint** macsimwm (mwyaf) y gall ei fesur?

Rhifwch nifer y rhaniadau rhwng dau rif ar y raddfa. Beth yw maint *un* rhaniad (mewn cm³)?

Tywalltwch ddŵr i mewn i'r silindr, hyd nes ei fod tua hanner llawn. Beth yw'r darlleniad? Gofalwch:
• fod y silindr mesur yn *fertigol*, ac nid ar ongl
• fod eich llygad ar *lefel* gwaelod arwyneb y dŵr.
Beth yw cyfaint y dŵr?

Defnyddiwch fesurau gwahanol o ddŵr i ymarfer darllen y raddfa. Gwiriwch ddarlleniadau eich partner.

Os bydd gennych amser wrth gefn ...

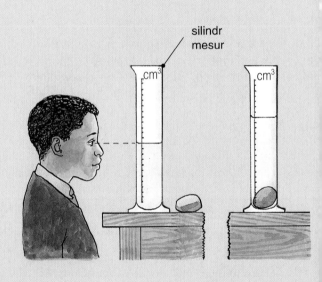

silindr mesur

Darganfod cyfaint carreg

Rhowch garreg yn y dŵr (neu unrhyw beth sy'n suddo mewn dŵr). Pam mae lefel y dŵr yn codi nawr?

Beth yw'r darlleniad ar gyfer y cyfaint nawr? (Mae'r darlleniad hwn yn rhoi cyfaint y dŵr *a'r* garreg).

Sut mae cyfrifo cyfaint y garreg? Beth yw cyfaint y garreg mewn cm³?

Rhowch gynnig arall gan ddefnyddio gwahanol fesur o ddŵr bob tro. Ydych chi'n cael yr un canlyniad?

Cyfaint y dŵr (cm³)	Cyfaint dŵr+carreg (cm³)	∴ Cyfaint y garreg (cm³)
1		
2		

Defnyddio thermomedr

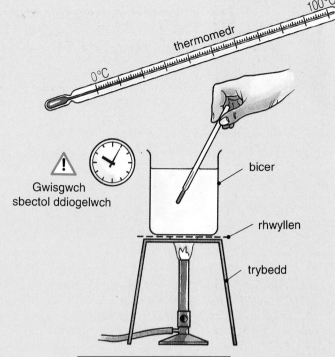

Mae'r thermomedr hwn yn mesur mewn unedau o'r enw **graddau Celsius**, neu **°C**.

Edrychwch ar y raddfa sydd ar y thermomedr. Beth yw'r **tymheredd** uchaf mae'n ei fesur? Beth yw'r tymheredd isaf?

Edrychwch ar y rhaniadau lleiaf ar y raddfa. Beth yw maint un o'r rhaniadau (mewn °C)?

Beth yw tymheredd y thermomedr yn awr? Beth sy'n digwydd os yw bwlb y thermomedr yn cael ei gynhesu'n araf yn eich llaw? Fedrwch chi egluro hyn?

Nawr defnyddiwch silindr mesur (gweler y dudalen gyferbyn) i roi 100 cm³ o ddŵr mewn bicer. Copïwch y tabl yn barod ar gyfer eich canlyniadau. Mesurwch dymheredd y dŵr. Cofnodwch hwn ar linell gyntaf eich tabl.

Rhowch y bicer ar drybedd. Cyneuwch wresogydd Bunsen a dechreuwch wresogi'r dŵr. Trowch y dŵr yn gyson a mesurwch ei dymheredd bob munud, am 8 munud.

Edrychwch ar ganlyniadau eich tabl. Oes patrwm i'w weld? (!Gadewch i'r bicer a'r trybedd oeri cyn eu symud!)

Sut fyddai eich canlyniadau yn wahanol pe byddech yn defnyddio
- mwy o ddŵr?
- fflam lai?

Os bydd gennych amser wrth gefn, plotiwch graff llinell i arddangos y canlyniadau. Rhowch yr **amser** ar hyd y gwaelod a'r **tymheredd** i fyny'r ochr.

Amser (munudau)	Tymheredd (°C)
0	
1	
2	
3	
4	
5	
6	
7	
8	

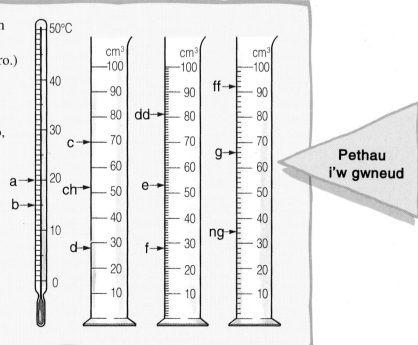

1 Edrychwch yn ofalus ar y diagramau. Beth yw'r darlleniad ar bob un o'r saethau (a–ng)? (Cofiwch: rhaid mesur at y marc agosaf bob tro.)

2 Rhestrwch 5 teclyn sy'n cael eu defnyddio i fesur pethau yn eich cartref.

3 Os oes gennych jwg mesur a phensil farcio, sut fyddai'n bosibl i chi ddarganfod cyfaint eich corff wrth i chi gael bath?

4 Trwch pecyn 500 dalen o bapur yw 50 mm. Beth yw trwch un ddalen?

5 Problem: mae angen darganfod cyfaint carreg ond mae'r garreg yn rhy fawr i'w rhoi mewn silindr mesur. Mae'n bosibl ei rhoi mewn bicer, ac mae gennych ddigon o ddŵr i lenwi'r bicer yn llwyr. Sut fyddech chi'n darganfod cyfaint y garreg?

Pethau i'w gwneud

Rhagor o waith mesur

Dyma dri ymchwiliad i chi eu gwneud mewn unrhyw drefn.
Cynlluniwch eich amser yn ofalus er mwyn gorffen y gwaith i gyd.

Defnyddio clorian badell

Mae clorian badell yn mesur **màs** gwrthrych, mewn gramau (**g**) neu mewn kilogramau (**kg**).
(Weithiau mae pobl yn dweud eu bod yn 'pwyso' pethau wrth ddefnyddio'r glorian hon, oherwydd bod màs a phwysau yn debyg i'w gilydd.)

Gofalwch fod y raddfa ar y glorian yn dangos *sero* ar y dechrau.

clorian badell

- Beth yw màs y llyfr hwn?
- Beth yw màs darn 10c?
- Amcangyfrifwch fàs darn 20c, ac yna ei fesur.
- Beth yw màs un clip papur?
  Os oes gennych 20 o glipiau unfath, sut allwch chi ddarganfod màs un clip yn fanwl gywir?
- Sut allwch chi ddarganfod màs 100 cm³ o ddŵr?

> **Darganfod màs 1 pin**
>
> màs 100 o binnau = 10.0 g
>
> màs cyfartalog = $\frac{10.0}{100}$ = 0.1 g
> 1 pin

Ymchwilio i bendil

> **Darganfod amser 1 siglad**
>
> amser 10 siglad = 12 eiliad
>
> ∴ amser 1 siglad = $\frac{12}{10}$ = 1. 2 eiliad

Gallwch wneud pendil o ddarn o linyn sydd â phwysyn (neu 'bòb') ynghlwm wrth un pen.

Defnyddiwch stopgloc i amseru sigladau.
Mae un siglad yn golygu'r mudiant cyflawn o un ochr, trwy'r canol i'r ochr arall, ac yn ôl eto.

Nid yw amseru un siglad yn ddigon cywir.
Mae'n llawer gwell amseru 10 siglad cyfan, ac yna rhannu'r amser gyda 10.

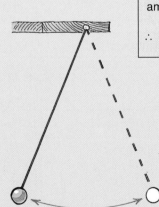

stopgloc

- Ymchwiliwch sut mae amser siglad yn dibynnu ar **hyd** y pendil. Beth sy'n digwydd os ydych yn haneru neu'n dyblu hyd y llinyn?

  Sawl gwaith ddylech chi wneud pob mesuriad?

Os bydd gennych amser wrth gefn ...

- Ymchwiliwch sut mae amser un siglad yn dibynnu ar **fàs** bòb y pendil (gallwch ychwanegu clai at y bòb).
  Gofalwch fod hyd y llinyn yr un fath bob tro er mwyn i'r prawf fod yn **brawf teg**.

Hyd (cm)	Amser 10 siglad (eiliadau)	Amser 1 siglad (eiliadau)

Mesur y corff

Mae corff pawb yn wahanol – ac mae mesuriadau pawb yn wahanol.

Gwnewch y mesuriadau canlynol a chofiwch gadw cofnod ohonyn nhw:

- eich taldra (mewn cm)
- yr hyd o'ch penelin i flaen eich bys canol (mewn cm). Yr hyd hwn yw eich 'cufydd'
- eich màs (mewn kg)
- y tymheredd o dan eich cesail (mewn °C)
- eich cyfradd anadlu arferol (anadliad y munud)
- cyfradd arferol curiad eich calon (curiad y munud)

Os bydd gennych amser wrth gefn ...

Gwnewch y ddau fesuriad olaf eto, ar ôl i chi redeg yn eich unfan am un munud.
Faint o amser mae'n ei gymryd i guriad eich calon ddod yn ôl i'w gyfradd arferol eto?
Mae hyn yn fesur o'ch ffitrwydd.

Wrth edrych ar ganlyniadau eich grŵp, oes cysylltiad i'w weld rhwng taldra a chufydd pob person?
Ydy'r cysylltiad hwn i'w weld yn y grwpiau eraill hefyd?

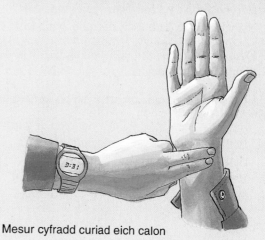

Mesur cyfradd curiad eich calon

---

1 Mesurwch gyfradd curiad eich calon nifer o weithiau bob dydd dros y 3 diwrnod nesaf. Ydy'r gyfradd yn newid? Pa bryd mae fwyaf? Pa bryd mae leiaf?

2 Pam mae amseru 10 siglad y pendil yn fwy cywir nag amseru un siglad yn unig?

3 Roedd Arch Noa yn 300 cufydd o hyd. Beth yw hyd eich cufydd chi? Beth fyddai hyd yr Arch pe baech chi wedi ei hadeiladu? Pam nad ydyn ni'n defnyddio cufydd heddiw?

4 Mae bicer gwag yn 'pwyso' 50 gram. Pan fydd yn cynnwys 100 cm^3 o ddŵr, mae'n 'pwyso' 150 g. Beth yw màs 100 cm^3 o ddŵr?

5 Màs 50 o hoelion yw 200 gram. Beth yw màs cyfartalog un hoelen? Pam mae'r gair 'cyfartalog' wedi'i ddefnyddio yma?

6 Mae silindr mesur yn cynnwys 20 cm^3 o ddŵr. Pan fydd 4 marblen yn cael eu rhoi yn y dŵr, 32 cm^3 yw'r darlleniad. Beth yw cyfaint cyfartalog un farblen?

7 Bachgen bach o'r Eidal o'r enw Galileo oedd y cyntaf i sylwi bod pob siglad yn cymryd yr un faint o amser pan fydd pendil yn siglo.

Galileo yn hen ŵr

a) Ceisiwch ddarganfod pryd roedd Galileo yn byw?
b) Am beth arall roedd Galileo yn enwog?

Pethau i'w gwneud

Dehongli a llunio casgliadau

Hyd yma, rydyn ni wedi bod yn edrych ar sgiliau arsylwi a mesur. Yn y wers hon byddwn yn edrych ar sgìl arall, sef **dehongli**. Ystyr hyn yw ceisio deall y wybodaeth neu'r *data*.

Mewn gwyddoniaeth, mae angen dehongli gwybodaeth sy'n cael ei chyflwyno mewn gwahanol ffyrdd. Gall y wybodaeth fod ar ffurf tablau neu graffiau, neu ar ffurf symbolau.

➤ Edrychwch ar y symbolau sydd yma. Ysgrifennwch beth yw ystyr pob symbol.

➤ Dyma siart bar sy'n dangos maint esgidiau dosbarth o blant yn eu harddegau.

Ceisiwch ddehongli'r siart ac ateb y cwestiynau isod:

a Beth yw'r maint esgid mwyaf sydd ar y graff?
b Beth yw'r maint esgid mwyaf cyffredin?
c Beth yw'r maint esgid lleiaf cyffredin?
ch Faint o bobl sy'n gwisgo esgidiau maint 4?
d Faint o ddisgyblion sydd yn y dosbarth cyfan?

 Yn y llyfr hwn
 Ar y ffordd
 Ar ddillad
 Ar gamera

 Ar bapur
 Ar botel
 Ar botel
 Yn y llyfr hwn

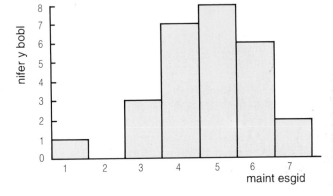

Edrychwch o amgylch yr ystafell a rhifwch faint o bobl sydd â gwallt 'golau', gwallt 'tywyll' neu wallt 'coch'.

Lluniwch siart bar o'r wybodaeth hon. Labelwch eich siart.

Efallai y bydd siartiau pobl eraill yn wahanol. Eglurwch hyn.

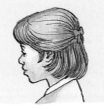

➤ Mae'r tabl isod yn dangos data am setiau radio/recordio stereo.

Ceisiwch ddehongli'r wybodaeth i ateb y cwestiynau canlynol:

dd Pa un yw'r set rataf?
e Pa un sy'n cynnwys botwm rheoli tôn?
f Pa un sydd heb fod yn cynnwys microffon?
ff Pa byddai gennych £80 i'w gwario, pa un fyddech chi'n ei dewis? Eglurwch eich rhesymau.

Allwedd:
M = Microffon
F = Soced clustffonau
T = Botwm rheoli tôn
A = Stopio'r tâp yn awtomatig
C = Troi'r tâp yn awtomatig i chwarae'r ail ochr

Gwneuthuriad	Gwlad	Pris (£)	Maint (cm)	Pwysau (kg)	Nodweddion cyffredinol	Nodweddion y casét	Nifer y deciau	Cost batrïau
Realistic SCR90	Hong Kong	40	13 x 35 x 8	1.5	M	A	1	6c yr awr
Sony CFS903L	Taiwan	80	20 x 44 x 13	2.6	M F T	A C	1	12c yr awr
JVC RC-W210	Malaysia	80	16 x 62 x 17	4.9	F	A	2	10c yr awr
Philips AW7392	Awstria	70	15 x 50 x 14	3.0	M F	A C	2	6c yr awr

➤ Rhoddodd Carys wresogydd Bunsen o dan bicer o ddŵr am ychydig funudau ac yna ei dynnu oddi yno.

Plotiodd graff llinell o'r tymheredd yn erbyn amser, fel sydd i'w weld yma. Mae hi wedi tynnu'r llinell sy'n ffitio orau trwy'r croesau.

Mae'r dŵr wedi poethi. Ceisiwch *lunio casgliadau* o'r graff i ateb y cwestiynau canlynol:

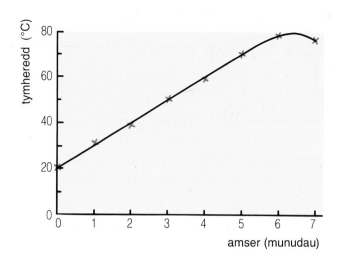

g Beth oedd tymheredd y dŵr ar y dechrau?

ng Beth oedd y tymheredd uchaf?

h Beth oedd y tymheredd ar ôl 2 funud?

i Faint o amser a gymerodd i gyrraedd 60 °C?

j Am faint o funudau roedd y gwresogydd Bunsen o dan y bicer, yn eich barn chi?

l Pam mae graff llinell yn well na siart bar yma?

➤ Dyma ffotograff o ddeial haul.

Eich gwaith yw *dehongli'r* ffotograff trwy lunio dwy restr:

Yr hyn rydw i'n ei weld yn y ffotograff. Dyma fy **arsylwadau**.	Yr hyn rydw i'n ei gasglu o'r ffotograff. Dyma fy **nghasgliadau**.
Rydw i'n gweld cysgod. Rydw i'n gweld...	*Mae'n olau dydd. Mae'r haul yn tywynnu. Galla i ddweud bod...*

Deial haul

Bydd eich athro/athrawes yn rhoi casgliad o bethau i chi, wedi eu cuddio fel na fedrwch eu gweld.

Beth feddyliwch chi ydyn nhw? Beth rydych yn arsylwi arno a beth yw eich casgliadau?

Pethau i'w gwneud

1 Edrychwch ar y siart bar o liwiau gwallt pobl yn eich dosbarth. Pa gasgliadau allwch chi eu llunio o'r siart (beth mae'r graff yn ei ddweud wrthych)? Ysgrifennwch nhw.

2 Mewn arolwg ar 30 o ddisgyblion, dywedodd 15 na ddylai pobl gael ysmygu, dywedodd 10 na ddylai pobl gael eu rhwystro rhag ysmygu, a doedd y gweddill ddim yn gwybod. Defnyddiwch y data hyn i lunio:
a) siart bar
b) siart cylch.
Pa siart sydd orau gennych?

3 Ateb Alun i gwestiwn **j** uchod oedd fod y gwresogydd Bunsen wedi bod o dan y bicer am union 6 munud. Yn ôl Elen, dydy hi ddim yn bosibl bod yn hollol sicr mai union 6 munud yw'r ateb. Pwy, yn eich barn chi, sy'n gywir? Eglurwch eich ateb.

4 Defnyddiwch y data isod i blotio graff llinell tymheredd yn erbyn amser, tebyg i'r un sydd ar y dudalen hon.

Amser (munudau)	0	1	2	3	4	5
Tymheredd (°C)	10	30	45	55	60	62

Defnyddiwch eich graff i ddarganfod y tymheredd ar ôl $3\frac{1}{2}$ munud.

Rhagfynegi

Mewn gwyddoniaeth, rydyn ni'n ceisio cael syniadau i egluro ein byd trwy arsylwi ar y byd o'n cwmpas.

Er enghraifft, roedd Llew yn edrych ar ddŵr oedd wedi ei golli ar y fainc. Roedd y dŵr yn lledu dros y fainc. Meddai Llew,

"Dw i'n meddwl bod dŵr **bob amser** yn llifo ar i lawr."

Damcaniaeth yw'r enw ar syniad fel hwn.
Roedd Llew yn **damcaniaethu**.

Roedd gan Ann well damcaniaeth. Meddai Ann,

"Dw i'n meddwl bod dŵr *bob amser* yn llifo ar i lawr *oherwydd* bod disgyrchiant yn ei dynnu i lawr."

Damcaniaethau yw'r syniadau hyn.
Syniadau am bethau sydd *bob amser* yn digwydd ydyn nhw.

Ar sail y damcaniaethau hyn, gwnaeth Pat **ragfynegiad**. Meddai Pat, "Pe byddech yn mynd i'r Aifft, byddech yn gweld bod Afon Nil yn llifo ar i lawr."

Afon Nil

➤ Gweithiwch fel grŵp a thrafodwch y 3 bocs hyn. Yna ysgrifennwch ddamcaniaeth ar gyfer pob un. Cofiwch gynnwys y geiriau *bob amser* yn y frawddeg a cheisiwch gynnwys *oherwydd* yn eich brawddeg hefyd.

1 Wrth wylio fflam cannwyll a fflam Bunsen gwelsoch fod y ddwy yn mynd tuag i fyny.

2 Mae llaeth yn para'n hirach mewn oergell.

3 Pe byddech yn gadael ciwb o iâ ar y fainc, byddai'n troi'n ddŵr. Beth yw'r rheswm dros hyn?

Mae angen profi damcaniaethau bob amser, er mwyn gweld ydyn nhw'n wir. Gallwn wneud hyn trwy:
• wneud *rhagfynegiad* ac yna
• *ymchwilio* i weld a yw'n wir.

➤ Edrychwch ar y cartŵn hwn. Mae Meurig yn profi damcaniaeth.

Damcaniaethu	Rhagfynegi	Ymchwilio
Mae fflachlamp bob amser yn gweithio'n dda gyda batriau newydd.	Dydy'r fflachlamp ddim yn gweithio. Bydd yn gweithio os bydd batriau newydd ynddi.	Wel dyna dro! Does yna ddim golau eto. Mae'n rhaid bod fy namcaniaeth i yn anghywir.

Ymchwilio i ragfynegiad

Roedd Siân a Llew yn trafod y llun hwn o fagnet yn codi metel sgrap.

Roedd Llew yn meddwl bod y magnet yn ddefnyddiol iawn. Meddai Llew,

"Dw i'n meddwl y bydd yn codi bob math o fetel heb ddefnyddio bachau o gwbl."

Doedd Siân ddim yn siŵr iawn o hyn. Meddai Siân,

"Dw i'n meddwl y bydd y magnet bob amser yn atynnu rhai o'r metelau ond bydd yn gadael rhai eraill ar ôl."

Pa ragfynegiad sy'n gywir, yn eich barn *chi* ?

Craen magnetig mewn iard sgrap

Cynlluniwch ymchwiliad i ddarganfod pa un o'r rhagfynegiadau hyn sy'n gywir.

Bydd eich athro/athrawes yn rhoi magnet i chi a darnau o fetelau gwahanol. Rhaid i chi wneud cynllun yn gyntaf.

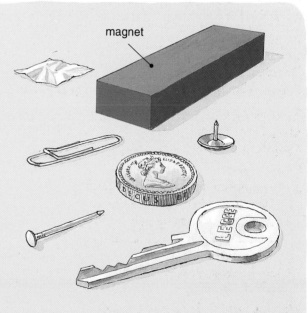

- Beth rydych yn mynd i'w wneud?
- Fydd arnoch angen unrhyw offer arall?
- Sut fyddwch yn gofalu bod y prawf yn brawf teg?
- Sut fyddwch yn cofnodi eich canlyniadau ar ffurf tabl? Beth fydd penawdau'r tabl?
- Edrychwch ar eich cynllun eto – ydy popeth wedi'i gynnwys?

Wedi i'ch athro/athrawes edrych dros eich cynllun, ewch ati i wneud yr ymchwiliad.

Beth rydych yn ei ddarganfod?

Ysgrifennwch adroddiad, neu lluniwch boster i ddangos yr hyn wnaethoch chi a'r hyn rydych wedi'i ddarganfod.

Beth mae'r ymchwiliad yn ei ddweud wrthych am y ffordd mae'r iard sgrap yn cael ei threfnu?

---

1 Mae rheolwraig ffatri siwgr yn bwriadu gosod magnet cryf dros y cludfelt sy'n cludo siwgr. Meddai hi, "Bydd yn codi pob darn o fetel allan o'r siwgr."
Lluniwch ddiagram yn dangos hyn.
Ydy ei syniad yn un da? Beth fyddai eich cyngor chi i'r rheolwraig?

2 Ysgrifennwch stori fer yn sôn am yr hyn sy'n digwydd ym mhob rhan o'r cartŵn ar y dudalen gyferbyn.

3 Fel arfer mae pobl yn rhoi dillad ar y lein ar ddiwrnod sych a chynnes.

Ysgrifennwch eich *damcaniaeth* ynglŷn â hyn, gan ddefnyddio'r geiriau *'bob amser'*.
Gwnewch y frawddeg ychydig yn hirach gan gynnwys y gair *'oherwydd'*.
Yna ysgrifennwch *ragfynegiad* ar sail y ddamcaniaeth.
Sut allech chi brofi eich damcaniaeth?

Pethau i'w gwneud

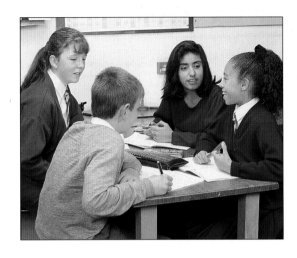

Yn aml mewn gwyddoniaeth rhaid **cynllunio** ymchwiliad.

Wrth gynllunio, rhaid meddwl ymlaen – a meddwl am yr holl bethau sydd angen eu gwneud.

Mae penderfynu beth rydych am ei **newid**, neu ei **amrywio**, yn rhan bwysig o'ch cynllun.
Newidynnau yw'r enw ar y pethau fydd yn cael eu *newid*.

Newidynnau

Dyma'r holl bethau sy'n gallu newid yn ystod ymchwiliad. Weithiau maen nhw'n cael eu galw'n *ffactorau*.

Yn eich cynllun byddwch yn:

Pethau sy'n newid yw newidynnau

- *penderfynu pa bethau ddylai newid.*
  Y rhain fydd y newidynnau fyddwch yn eu mesur, ac yna yn eu cynnwys fel canlyniadau ar ffurf tabl.
- *penderfynu pa bethau fydd yn aros heb newid.*
  Dyma'r pethau fydd rhaid eu cadw yr un fath, er mwyn i'r prawf fod yn *brawf teg*.

Dyma enghraifft yn egluro hyn:

Enghraifft

Dychmygwch fod angen i chi ymchwilio i'r canlynol:
Sut mae faint o ddŵr sy'n cael ei roi i blanhigyn yn effeithio ar ei dwf?

Gallech wneud yr arbrawf hwn trwy blannu hadau mewn nifer o botiau blodau. Yna gallech roi mesur gwahanol o ddŵr ym mhob un bob dydd. Byddai angen i chi fesur taldra'r planhigyn bob dydd.

Mae faint o ddŵr fyddwch yn ei roi i bob planhigyn yn un o'r newidynnau. Gallech fesur y newidyn hwn gyda jwg mesur.

Mae taldra'r planhigyn yn newidyn arall. Gallech fesur y newidyn hwn gyda phren mesur.

Mae'n hynod o bwysig fod yr ymchwiliad yn **brawf teg**.

Er mwyn gwneud y prawf yn brawf teg, rhaid *rheoli'r* newidynnau eraill. I wneud hyn, byddech:

- yn defnyddio'r *un math* o hadau yn y potiau
- yn defnyddio'r *un math* o bridd yn y potiau
- yn defnyddio potiau o'r *un maint*
- yn rhoi'r potiau yn yr *un safle* yn yr ystafell.

Caiff y newidynnau hyn eu galw'n newidynnau **rheoli**.

Bydd angen i chi benderfynu faint o ddŵr i'w roi i'r planhigion.

Mae faint o ddŵr fyddwch yn ei roi yn newidyn.

Bydd angen i chi fesur taldra'r planhigyn.

Mae taldra'r planhigyn yn newidyn.

Er mwyn ei wneud yn brawf teg, rhaid 'rheoli' pob newidyn arall, er mwyn eu cadw yn union yr un fath.

Dyma dri ymchwiliad i chi eu cynllunio.

Ymchwiliad 1

Sut mae'r **uchder** y mae pêl yn adlamu iddo yn dibynnu ar yr **arwyneb** y mae'r bêl yn adlamu oddi arno?

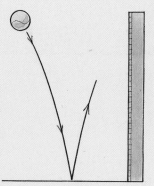

Cynllun:

Beth fydd yn cael ei newid?
Beth fydd yn cael ei fesur?
Beth fydd yn aros yr un fath (er mwyn ei wneud yn brawf teg)?

Gwnewch dabl ar gyfer eich canlyniadau.

Pa fath o graff allech chi ei ddefnyddio i arddangos eich canlyniadau?

Ymchwiliad 2

Sut mae **hyd** darn o elastig yn dibynnu ar y **pwysynnau** sy'n hongian arno?

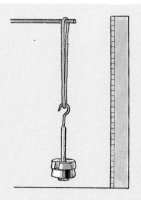

Cynllun:

Beth fydd yn cael ei newid?
Beth fydd yn cael ei fesur?
Beth fydd yn aros yr un fath (er mwyn ei wneud yn brawf teg)?

Gwnewch dabl ar gyfer eich canlyniadau.

Pa fath o graff allech chi ei ddefnyddio i arddangos eich canlyniadau? Gwnewch fraslun o'r hyn feddyliwch fydd i'w weld.

Ymchwiliad 3

Sut mae **cyfradd curiad eich calon** yn dibynnu ar **faint o ymarfer corff** fyddwch yn ei wneud?

Cynllun:

Beth fydd yn cael ei newid?
Beth fydd yn cael ei fesur?
Beth fydd yn cael ei reoli (er mwyn ei wneud yn brawf teg)?

Gwnewch dabl ar gyfer eich canlyniadau.

Pa fath o graff allech chi ei ddefnyddio i arddangos eich canlyniadau?

➤ Os bydd gennych amser wrth gefn, gwnewch un o'r ymchwiliadau uchod.

1 Edrychwch eto ar Ymchwiliad 1 uchod.
a) Ni fydd yn hawdd mesur pa mor uchel fydd y bêl yn adlamu. Sut allech chi wneud hyn?
b) Dyma 5 math gwahanol o arwyneb y gallai'r bêl adlamu oddi arno:
carped, concrit, pren, gwely, glaswellt.
Rhagfynegwch drefn uchder yr adlamu o'r uchaf i'r isaf. Ysgrifennwch hyn.
Yna rhowch gynnig ar yr arbrawf.

2 Edrychwch ar Ymchwiliad 2 unwaith eto.
a) Ble fyddech yn rhoi'r marc sero ar y pren mesur?
b) Gallech ddefnyddio pwyntydd i'ch helpu i ddarganfod hyd y band elastig. Lluniwch ddiagram yn dangos hyn.

3 Edrychwch ar y dudalen nesaf. Yna dewiswch un o'r ymchwiliadau. Cynlluniwch ef yn ofalus er mwyn i chi fod yn barod ar gyfer y wers nesaf.

Pethau i'w gwneud

Ymchwilio

Yn y gwersi diwethaf, rydych wedi defnyddio sawl sgìl y byddwch ei hangen i wneud gwaith gwyddonol:

- **Rh**agfynegi
- **C**ynllunio ymchwiliad
- **A**rsylwi
- **M**esur
- **D**ehongli a llunio casgliadau
- **C**yflwyno eich canlyniadau i eraill
- **G**werthuso

Mae'r diagram yn dangos sut mae'r rhain yn cysylltu â'i gilydd.

Ambell waith mae canlyniadau ymchwiliad yn awgrymu damcaniaeth ar gyfer ymchwiliad arall.

Ar y dudalen gyferbyn, mae awgrymiadau ar gyfer 3 ymchwiliad.

➤ Darllenwch bob un yn ofalus. Yna dewiswch *un* ohonyn nhw (un nad ydych wedi'i wneud o'r blaen).

➤ Yna *cynlluniwch* yr ymchwiliad yn ofalus (gan ddefnyddio'r diagram hwn). Pan fydd eich athro/athrawes wedi edrych dros y cynllun, ewch ati i wneud yr ymchwiliad.

Dechrau yma

Beth rydyn ni'n ymchwilio iddo? Beth feddyliwn fydd yn digwydd (ein rhagfynegiad)? Pam rydyn ni'n meddwl y bydd hyn yn digwydd?

Rhagfynegi

Sut mae gofalu y bydd yn **brawf teg**?
- Beth fydd yn cael ei newid?
- Beth fydd yn cael ei fesur?
- Beth fydd yn aros yr un fath?
Ydy'r athro wedi dweud ei fod yn ddiogel?

Cynllunio

Pa offer fydd eu hangen? Sut fyddwn yn eu defnyddio? Sawl darlleniad fyddwn ni'n ei wneud?

Arsylwi a Mesur

Sut mae cofnodi'r canlyniadau?
- mewn tabl?
- yna ar ffurf graff?
Oes patrwm yn y canlyniadau? Ydy'n bosibl egluro'r patrwm? Allwn ni ddibynnu ar y canlyniadau?

Dehongli a Llunio casgliadau

Sut mae dweud wrth eraill am yr ymchwiliad?
- adroddiad (gyda diagram)?
- poster?
- sgwrs neu drafodaeth?

Cyflwyno

Ai hon oedd y ffordd orau o wneud yr ymchwiliad? Sut fydden ni'n gallu gwella'r ymchwiliad? Oes gennym syniad ar gyfer ymchwiliad arall?

Gwerthuso

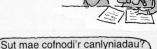

1. Papur amsugno

Mae papur amsugno yn cael ei ddefnyddio yn aml iawn mewn ceginau ac ystafelloedd ymolchi.
Beth sy'n gwneud papur amsugno **da,** yn eich barn chi?

Fe gewch sampl o dri math o bapur amsugno wedi'u labelu **A, B** ac **C.**

Eich gwaith fydd darganfod pa un o'r papurau amsugno yw'r gorau am amsugno dŵr.

Pa un fyddech yn ei gymeradwyo i'ch ffrind?

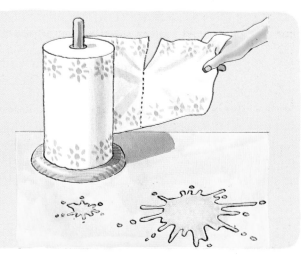

2. Rhwygo hancesi papur

Mae hysbysebion teledu yn aml iawn yn dweud bod hancesi papur yn gryf hyd yn oed pan fyddan nhw'n wlyb.
Beth yw eich barn am hyn?

Fe gewch sampl o dri math o hances bapur wedi'u labelu **X, Y** a **Z.**

Eich gwaith fydd darganfod pa un o'r hancesi papur fydd yr un gryfaf pan fydd yn wlyb.

Pa un fyddech yn ei gymeradwyo i'ch ffrind?

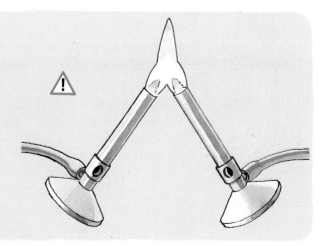

3. Fflamau'r Bunsen

Mae Bryn a Mari yn dadlau am wresogyddion Bunsen.

Meddai Bryn, "Mae un gwresogydd â'i aerdwll ar agor yn llawn yn cynhesu dŵr yn gyflymach na dau wresogydd â'u haerdyllau wedi hanner eu hagor."

Meddai Mari, a oedd yn anghytuno, "Mae dau wresogydd bob amser yn gyflymach oherwydd eu bod yn defnyddio mwy o nwy."

Beth yw eich barn chi am hyn?

Sut mae darganfod yr ateb?

1 Wedi i chi wneud eich ymchwiliad, ceisiwch feddwl sut i'w wella. Wrth wneud hyn, rydych yn ei **werthuso.** Ysgrifennwch eich syniadau (a lluniwch ddiagramau os bydd hyn o help i egluro).

2 Dewiswch un o'r ymchwiliadau eraill (un nad ydych wedi'i wneud o'r blaen). Cynlluniwch ef yn ofalus.

Pethau i'w gwneud

1 Dyma luniau dieithr o wrthrychau bob dydd. Ysgrifennwch enw pob gwrthrych.

2 Beth yw'r darlleniad ar bob un o'r saethau (**a–l**)?
Cofiwch: rhaid darllen i'r marc agosaf bob tro.

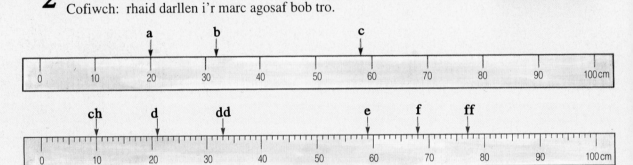

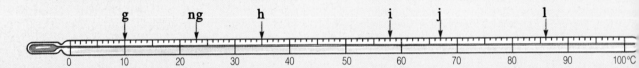

3 Pa un sy'n edrych hiraf – uchder yr het neu led ei chantel (*brim*)?
Pa un yw'r hiraf? Eglurwch eich ateb.

4 Bu Lisa yn gwresogi dŵr yn araf gyda gwresogydd Bunsen.

Mae ei chanlyniadau yn y tabl:

Amser (munudau)	Tymh (°C)
0	20
1	25
2	30
3	40
4	40
5	45
6	50
7	55
8	60

a) Lluniwch ddwy echelin ar bapur graff.
Labelwch yr un sydd ar hyd y gwaelod yn echelin *amser* a marciwch raddfa o 0 i 10 munud arni.
Labelwch yr echelin arall yn echelin *tymheredd* a marciwch raddfa o 0 °C i 100 °C arni.

b) Plotiwch y 9 pwynt yn fanwl-gywir ar y graff gan ddefnyddio croesau bach.

c) Mae un o'r canlyniadau yn ymddangos yn anghywir. Pa un?

ch) Lluniwch y llinell syth sy'n ffitio orau trwy'r 8 pwynt arall.

d) Defnyddiwch eich graff i ragfynegi beth fyddai'r darlleniad wedi 9 munud.

dd) Pe byddai Lisa wedi defnyddio mwy o ddŵr yn ei bicer, sut fyddai'r graff yn wahanol?

5 Mae Tomos yn dweud bod dwy glust yn well nag un, wrth geisio penderfynu o ba gyfeiriad daw sŵn arbennig. Cynlluniwch ymchwiliad i ddarganfod a yw hyn yn wir.
Sut fyddech yn gofalu bod y prawf yn brawf teg?

Gwneud a defnyddio defnyddiau

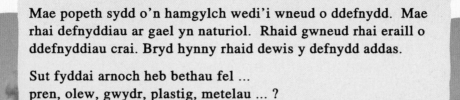

Mae popeth sydd o'n hamgylch wedi'i wneud o ddefnydd. Mae rhai defnyddiau ar gael yn naturiol. Rhaid gwneud rhai eraill o ddefnyddiau crai. Bryd hynny rhaid dewis y defnydd addas.

Sut fyddai arnoch heb bethau fel ...
pren, olew, gwydr, plastig, metelau ... ?

Penawdau:		
	2a	*Dosbarthu defnyddiau*
	2b	*Gwneud defnyddiau newydd*
	2c	*Defnyddio defnyddiau crai*
	2ch	*Cymharu defnyddiau*
	2d	*Addas i'w ddefnyddio?*

Dosbarthu defnyddiau

Byddwn yn aml yn rhoi pethau mewn grwpiau. Rydyn ni'n gwneud hyn er mwyn gallu dod o hyd i bethau.

➤ Ysgrifennwch yr atebion i'r cwestiynau hyn:

a   Sut mae nwyddau yn cael eu grwpio mewn archfarchnadoedd?
b   Sut mae llyfrau yn cael eu grwpio mewn llyfrgell?
c   Sut mae nwyddau mewn siop gerdd yn cael eu grwpio?

Meddyliwch am eich dillad gartref. Sut maen nhw wedi eu grwpio? (... neu efallai **ddylen** nhw gael eu grwpio?!)

Nodwch enghreifftiau eraill o grwpio gwrthrychau.

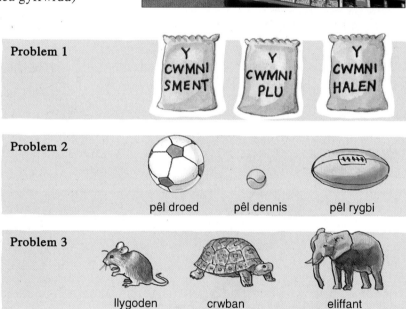

Mewn gwyddoniaeth, mae'n ddefnyddiol gallu rhoi pethau mewn grwpiau gwahanol. Byddwn yn **dosbarthu'r** eitemau.

Er mwyn dosbarthu fe ddylen ni:
• edrych yn ofalus ar bob eitem (arogli, sylwi neu gyffwrdd)
• edrych am bethau sy'n debyg neu'n wahanol.

Mae'n hawdd gosod pethau mewn grwpiau ambell waith.

➤ Edrychwch ar y darluniau ac yna ar y rhestr o ddisgrifiadau. Dewiswch un disgrifiad fyddai'n rhannu yr hyn sydd *ym mhob* problem yn *ddau grŵp*.

Problem 1

Y CWMNI SMENT   Y CWMNI PLU   Y CWMNI HALEN

Problem 2

pêl droed   pêl dennis   pêl rygbi

Problem 3

llygoden   crwban   eliffant

Pa ddisgrifiad?
Fyddech chi'n defnyddio
• lliw?
• maint?
• pwysau?
• siâp?
• arogl?

Dyfalwch beth sydd yma!

➤ Dewiswch dri pheth sy'n cael eu defnyddio bob dydd yn y cartref neu'r ysgol.
Disgrifiwch bob un o ran:
• ei siâp
• ei liw
• sut deimlad sydd iddo a sut mae'n ymateb wrth gael ei gyffwrdd.

Peidiwch â'i enwi. Dywedwch a yw'n cael ei ddefnyddio yn y cartref neu yn yr ysgol. Tybed faint o amser fydd gweddill y dosbarth yn ei gymryd i ddyfalu beth sydd gennych?

Defnyddiau naturiol a defnyddiau gwneud

Mewn gwyddoniaeth, mae'n bwysig sylwi:
- pa ddefnyddiau sy'n **naturiol**
- pa ddefnyddiau sydd wedi eu **creu gan bobl**.

Mae'r defnyddiau sydd wedi eu **creu gan bobl** wedi eu gwneud o **ddefnyddiau crai**. Mae'n anodd credu hynny, ond mae plastig wedi ei wneud yn wreiddiol o olew!

Pren – defnydd naturiol

Priodweddau

Mae gan bob defnydd ei **briodweddau** ei hun.
Mae'r priodweddau hyn yn dweud sut mae'r defnydd yn ymddwyn. Er enghraifft, efallai bydd y defnydd yn plygu neu'n ymestyn.

Dylai priodwedd ddisgrifio unrhyw ddarn o'r defnydd. **Nid yw** geiriau fel 'mawr' neu 'bach' yn briodweddau.

Mae gan bob defnydd gwahanol ei briodweddau ei hun. Mae'n bosibl defnyddio priodweddau i roi'r defnyddiau mewn grwpiau.

Plastig – defnydd gwneud

Cael trefn ar bethau!

Edrychwch ar y pethau mae eich athro yn eu rhoi i chi. Rhowch bob un mewn grŵp gan ofalu bod gan bob grŵp briodwedd sy'n gyffredin.

Rhestrwch yr holl bethau sydd ym mhob grŵp. Ysgrifennwch y priodweddau ddefnyddioch chi i lunio'r grwpiau.

Edrychwch ar y pethau hyn eto. Rhowch nhw mewn grwpiau newydd gan ddefnyddio priodweddau gwahanol y tro hwn.

Rhestrwch y pethau sydd ym mhob grŵp newydd. Ysgrifennwch y priodweddau ddefnyddioch chi i lunio'r grwpiau newydd.

Rhowch gynnig ar wneud hyn eto. Sawl gwahanol ddull o ddosbarthu all eich grŵp chi ei ddefnyddio?

Gwnewch boster sy'n egluro eich syniadau yn fyr i weddill y dosbarth.

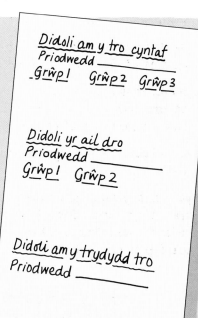

Didoli am y tro cyntaf
Priodwedd _____
Grŵp 1   Grŵp 2   Grŵp 3

Didoli yr ail dro
Priodwedd _____
Grŵp 1   Grŵp 2

Didoli am y trydydd tro
Priodwedd _____

---

1 Copïwch a chwblhewch:
a) Wrth roi pethau mewn grwpiau byddwn yn eu ....
b) Gall defnyddiau fod yn rhai .... neu yn rhai sydd wedi eu creu gan bobl.
c) Rhaid i .... ddisgrifio unrhyw ddarn o ddefnydd. Mae gan bob defnydd ei .... ei hun.

2 Defnydd sydd wedi ei greu gan bobl yw plastig.
a) Rhestrwch 5 peth sydd wedi eu gwneud o blastig.
b) Awgrymwch o ba ddefnydd roedd y 5 peth yn cael eu gwneud cyn dyfeisio plastig.

3 Mae rhai pethau yn cael eu disgrifio fel pethau 'byw' ac eraill fel pethau 'anfyw'. Ysgrifennodd Rhiannon y rhestr ganlynol o syniadau i ddisgrifio rhywbeth 'byw'. Ydych chi'n cytuno neu yn anghytuno gyda'i syniadau?

> Mae pethau byw:
> a) yn tyfu
> b) yn cerdded
> c) yn siarad
> ch) yn anadlu
> d) yn meddu ar ymennydd

Pethau i'w gwneud

23

Gwneud defnyddiau newydd

Mae popeth sydd o'n cwmpas wedi ei wneud o ryw fath o ddefnydd. Fel y dywedwyd, mae rhai yn **naturiol** a rhai wedi eu **gwneud**.

➤ Ysgrifennwch enw un defnydd naturiol ac un sydd wedi ei wneud.

➤ Edrychwch o gwmpas y labordy. Gwnewch restr o 10 eitem.

Ceisiwch benderfynu o ba ddefnydd mae popeth wedi ei wneud. Cofnodwch ai defnydd naturiol ydyw neu un wedi ei wneud. Ticiwch y golofn gywir. Mae un wedi ei wneud yn barod i chi.

Edrychwch ar eich rhestr.

Ydy'r rhan fwyaf o'r pethau wedi eu gwneud o ddefnyddiau naturiol neu o defnyddiau sydd wedi eu gwneud?

Eitem	Defnydd	Naturiol?	Wedi ei wneud?
1. Ffenest	gwydr		✓

Mae angen newid defnyddiau naturiol cyn i ni eu defnyddio.

➤ Sut mae gwlân dafad yn cael ei newid yn ddefnydd sy'n gwneud siwmper? Gan weithio mewn grwpiau, trafodwch gamau'r broses.

➤ Dangoswch eich syniadau ar ffurf siart rhediad:

Y CAM CYNTAF → YR AIL GAM → etc.

Efallai bydd eich athro/athrawes yn gofyn i chi egluro eich syniadau i'r grwpiau eraill.

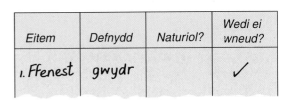

GWLÂN NEWYDD PUR

Oes gennych chi ddillad o Wlân Newydd Pur?

Mae rhai o'ch dillad wedi eu gwneud o ddefnyddiau naturiol, e.e. cotwm, gwlân a sidan. Mae dilladau eraill wedi eu gwneud o ddefnyddiau **synthetig,** e.e. polyester ac acrylig. Mae'n debyg bod gennych hefyd ddillad sydd wedi eu gwneud o gymysgedd o ddefnyddiau, e.e. cotwm a pholyester.

Mae gan bob defnydd ei briodweddau ei hun. Edrychwch ar y lluniau hyn, a dywedwch pa briodweddau ddylai fod yn perthyn i'r defnyddiau hyn o sylwi i ba bwrpas maen nhw'n cael eu defnyddio.

Enghraifft:
Dylai crysau-T gael eu gwneud o ddefnydd ysgafn sy'n gadael i wres y corff fynd trwyddo.

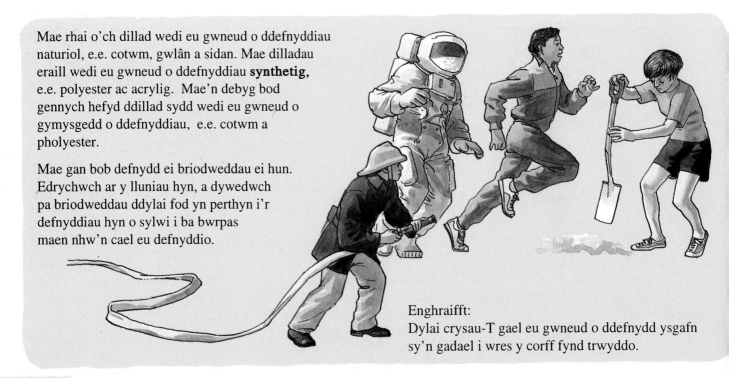

Wrth brynu dilledyn, dylech feddwl sut fyddwch yn ei ddefnyddio. Gall dewis y math o ddefnydd fod yn bwysig.

Efallai eich bod am fod ... yn ffasiynol,
　　　　　　　　　　　　 ... yn gynnes,
　　　　　　　　　　　　 ... yn sych.

Yn yr ymchwiliad nesaf, byddwch yn cymharu 2 fath o ddefnydd sy'n cael eu defnyddio i wneud dillad.

Cymharu defnydd naturiol a defnydd sydd wedi ei wneud

Bydd eich athro/athrawes yn rhoi 2 fath o ddefnydd i chi. Mae un yn naturiol, a'r llall wedi ei wneud.

Yn eich grŵp, cynlluniwch ymchwiliad i gymharu'r defnyddiau. Gallech gynllunio profion i ddangos pa ddefnydd fydd ...
　　(a) yn eich cadw'n sych
neu (b) yn eich cadw'n gynnes
neu (c) yn eich amddiffyn rhag tân.

fflamadwy

Efallai byddwch angen

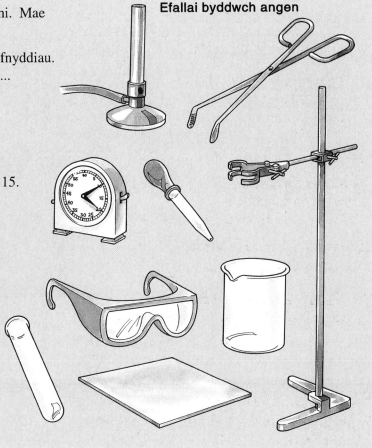

Gofalwch fod eich prawf yn un teg.

Os bydd angen cymorth arnoch, edrychwch ar dudalen 15.

Ysgrifennwch eich cynllun ar bapur.

Bydd angen i chi gynnwys manylion am:
* y cyfarpar fydd ei angen
* yr hyn fyddwch yn ei wneud (gan gynnwys pwyntiau diogelwch)
* pa fesuriadau neu arsylwadau fyddwch yn eu gwneud
* sut fyddwch yn cyflwyno'r canlyniadau.

Dylech ddangos y cynllun i'ch athro/athrawes cyn i chi ddechrau ar y gwaith ymarferol.

Os bydd amser wrth gefn, efallai bydd eich athro/athrawes yn gadael i chi wneud arbrawf arall.

---

1 Copïwch y tabl isod yn eich llyfrau. Nodwch dri defnydd ym mhob colofn.

Naturiol	Wedi ei wneud

2 Chwiliwch am hanes cotwm **neu** sidan.
Ble mae'r defnydd hwn i'w gael?
Ble mae'n cael ei wneud?
Sut mae'n cael ei newid i'w ddefnyddio?

3 Gwnewch arolwg o'ch dillad eich hun.
* Edrychwch ar y label er mwyn gweld beth yw defnydd y dilledyn.
* Sut deimlad sydd i'r defnydd? (meddal, garw, llyfn, etc.)
* Oes cyfarwyddiadau gofal arbennig, e.e. golchi, sychu?
Cofnodwch eich darganfyddiadau mewn tabl.
Gan ddefnyddio eich rhestr, nodwch:
a) pa ddefnydd sy'n addas i'w olchi ar y tymheredd uchaf?
b) pa ddefnydd sy'n teimlo fwyaf garw?

Pethau i'w gwneud

Defnyddiau crai

Mae'r rhan fwyaf o'r defnyddiau sydd o'n cwmpas yn rhai sydd wedi eu gwneud gan bobl. Cawson nhw eu gwneud o **ddefnyddiau crai**. Defnyddiau sydd i'w cael o'r Ddaear yw'r rhain.

Mae rhai enghreifftiau isod:

➤ Copïwch y tabl hwn:

Sylwedd o'r defnydd crai	Defnydd crai
halen	môr
ocsigen	aer
plastigion	glo, olew crai, nwy naturiol
copor	creigiau
olew llysiau	pethau byw (planhigion)

Mae llawer o sylweddau wedi eu gwneud o fwy nag un defnydd crai.

Mae aer, nwy naturiol a chreigiau sy'n cynnwys sylffwr a ffosfforws yn ddefnyddiau crai i wneud gwrtaith.

Defnyddir olew crai, halen craig ac aer i wneud plastig o'r enw PVC.

Nid yw pob defnydd crai sydd ei angen i'w gael ym mhob gwlad. Bryd hynny, rhaid i'r gwledydd eu prynu o wledydd eraill. Wedyn, gellir trin y defnyddiau crai er mwyn creu defnyddiau newydd.

DEFNYDDIAU CRAI → WEDI EU TRIN (EU NEWID) → DEFNYDDIAU NEWYDD

Mae glo, olew crai a nwy naturiol yn cael eu galw yn danwyddau ffosil. Dyma'r tanwyddau sydd wedi eu ffurfio dros gyfnod o filiynau o flynyddoedd o weddillion anifeiliaid a phlanhigion.

➤ Edrychwch ar yr 8 brawddeg isod. Dydyn nhw ddim yn y drefn gywir. Maen nhw'n cynnwys rhagor o wybodaeth am olew crai. Rhowch y brawddegau yn y drefn gywir i roi synnwyr i'r darn.

Copïwch y darn wedi i chi roi'r brawddegau mewn trefn.
(Cliw – dylech ysgrifennu rhif 1 yn gyntaf.)
(1) Mae olew crai yn ddefnydd crai pwysig iawn.
(2) Mae petrol yn bwysig am ein bod yn ei ddefnyddio yn ein ceir.
(3) Mae'n gymysgedd o nifer o sylweddau.
(4) Mae nafftha yn bwysig i wneud plastigion.
(5) Petrol, cerosin a nafftha yw rhai o'r cynhyrchion.
(6) Mae'r olew yn cael ei wresogi mewn purfa.
(7) Mae'r sylweddau hyn yn cael eu gwahanu mewn purfa olew.
(8) Mae'n bosibl casglu gwahanol gynhyrchion o'r olew pan fydd wedi ei wresogi i dymereddau gwahanol.

Purfa olew

Tynnu copor o graig

Yn yr arbrawf hwn, byddwch yn tynnu copor o graig.
Ar ddechrau'r arbrawf bydd eich athro yn rhoi powdr copor
o'r enw 'malachit' i chi. Y powdr hwn yw eich defnydd crai.

Gofalwch ddarllen yr holl gyfarwyddiadau cyn dechrau.

Ysgrifennwch eich arsylwadau yn ystod yr arbrawf.

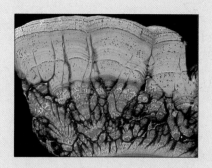

Rhowch 5 mesur sbatwla o'r powdr mewn
tiwb profi.

Caiff dŵr calch ei ddefnyddio i brofi am nwy carbon deuocsid. Mae'r nwy yn troi'r dŵr yn gymylog (fel llaeth).

Clampiwch y tiwb profi. Rhowch diwb cludo
ynddo a'i ben arall mewn dŵr calch.

Gwresogwch y powdr yn araf. Edrychwch yn
ofalus ar y dŵr calch. Gwresogwch y cymysgedd
hyd nes bydd y powdr i gyd wedi newid ei liw.

Gofal!
Bydd eich athro
yn rhoi cyngor
i chi yma

asid

Yna symudwch y tiwb o ddŵr calch cyn diffodd
y gwresogydd Bunsen.

Gadewch i'r tiwb oeri am ychydig funudau. Yna
ychwanegwch asid hyd nes bydd y tiwb yn hanner
llawn.

Mae toddiant yn cael ei greu pan fydd solid yn diflannu mewn hylif. Mae'r hylif yn glir.

Gollyngwch hoelen haearn i mewn i'r toddiant.
Gadewch y cymysgedd am 5 munud, yna
tywalltwch y toddiant yn ofalus.
Trowch yr hoelen allan ar bapur amsugno.
Edrychwch arni yn ofalus. **Beth welwch chi?**

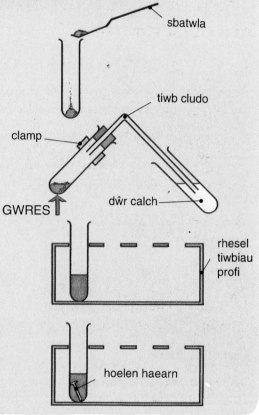

sbatwla

tiwb cludo

clamp

GWRES

dŵr calch

rhesel tiwbiau profi

hoelen haearn

---

1 Copïwch a chwblhewch:
a) Mae llawer o ddefnyddiau wedi eu
gwneud o ddefnyddiau ....
b) Mae defnyddiau crai i'w cael o'r ....
c) Mae'n bosibl trin defnyddiau crai er
mwyn gwneud defnyddiau ....
ch) Mae glo, olew crai a nwy naturiol yn
fathau o ....

2 Edrychwch ar y tabl o ddefnyddiau crai
ar y dudalen gyferbyn. Pa un fyddech chi'n
gallu ei ddefnyddio i gael:
a) siwgr? c) nitrogen?
b) haearn? ch) dŵr pur?

3 Dychmygwch fod yr holl olew sydd yn
y byd wedi gorffen. Ysgrifennwch hanes
diwrnod yn eich bywyd pan nad oes
olew i'w gael.

4 Fel y gwyddoch, cymysgedd o sylweddau
yw olew crai. Mae canrannau'r gwahanol
sylweddau wedi eu rhestru yn y tabl hwn:

Enw'r sylwedd sydd mewn olew crai	% o'r sylwedd mewn olew crai
nwy tanwydd	2
petrol	6
nafftha	10
cerosin	13
olew diesel	19
tanwydd a bitwmen	50

a) Lluniwch siart bar i ddangos y
wybodaeth hon.
b) Dewiswch 4 o'r sylweddau sydd i'w cael
mewn olew crai. Tynnwch luniau i
ddangos sut mae pob un yn cael ei
ddefnyddio.

**Pethau
i'w gwneud**

Edrychwch ar rai o'r geiriau rydyn ni'n eu defnyddio i ddisgrifio defnyddiau.

Gan weithio mewn grwpiau, dewiswch un gair. Bydd angen i chi egluro ystyr y gair i'r grwpiau eraill.

OND ...   Peidiwch â dweud y gair ei hun!
          Chewch chi ddim defnyddio'r gair sy'n groes iddo chwaith!

Ysgrifennwch eglurhad o'r gair rydych wedi ei ddewis ar ddarn o bapur. Gallwch wneud darluniau bach hefyd i roi cliwiau i'r sawl sy'n dyfalu.

Os bydd amser wrth gefn, gwnewch hyn gyda geiriau eraill o'r rhestr.

Newidiwch y darnau papur am ddarnau papur grwpiau eraill.
Edrychwch ar yr eglurhad a'r lluniau.
Ceisiwch ddyfalu beth yw'r geiriau.

Os yw'r grwpiau eraill wedi rhoi eglurhad da, ysgrifennwch ef ar bapur.
Gall hyn fod yn ddefnyddiol ar gyfer cwestiwn 2 yn y **Pethau i'w gwneud**.

Efallai gall eich athro/athrawes roi help llaw i chi wrth ddewis y syniadau pwysig.

Graddfa Moh

Ambell waith mae'n bosibl disgrifio defnydd wrth edrych arno'n unig.
Er enghraifft, mae'n bosibl gweld oes sglein ar ddefnydd ai peidio.
Weithiau, mae angen cyffwrdd â defnydd.
Er enghraifft, er mwyn gweld a yw defnydd yn feddal neu'n galed.

Ydych chi'n cofio'r raddfa ar gyfer tymheredd?

Mae graddfa hefyd ar gyfer dweud pa mor galed yw defnydd.
Enw'r raddfa hon yw graddfa Moh. Y rhifau arni yw 1–10.

Mae gan bob defnydd rif sy'n dweud pa mor galed yw'r defnydd.
Os yw'r defnydd yn *feddal* iawn, yna mae'r rhif yn *isel*.

➤ Edrychwch ar y darlun hwn. Mae yma nifer o ddefnyddiau cyffredin gyda'u rhif ar y raddfa Moh.

Ysgrifennwch yr atebion i'r cwestiynau hyn.

a   Pa un yw'r defnydd mwyaf meddal?
b   Pa un sydd fwyaf caled, ewin neu ddarn 2c?
c   Pa ddefnydd nad yw'n bosibl i ddefnydd arall ei grafu?
ch Mae Siôn yn meddwl mai 4 neu 5 fyddai rhif darn o blastig ar raddfa Moh. Sut allech chi brofi ei fod yn gywir?

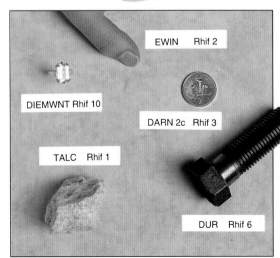

Fel rydych wedi darganfod, mae i bob defnydd ei **briodweddau** ei hun.
Hyd yma, rydych wedi defnyddio geiriau i ddisgrifio'r priodweddau.
Er enghraifft, gallech ddisgrifio rwber fel defnydd sy'n llyfn,
yn ddwl, yn hyblyg ac yn un sy'n ymestyn.
Cofiwch fod rhaid i **briodwedd** ddisgrifio unrhyw ddarn o'r defnydd.

➤ Ar y dudalen hon mae 3 ymchwiliad.

   Dewiswch un ohonyn nhw.

   Cynlluniwch yr arbrawf yn fanwl o flaen llaw.

   Wedi i'ch athro/athrawes weld y cynllun, ewch ati i wneud yr ymchwiliad.

   Cofiwch – ni fydd pob grŵp yn gwneud yr un ymchwiliad.
   Byddwch yn adrodd yn ôl i weddill y dosbarth
   wedi i chi orffen y gwaith.

ADRODDIAD
Beth wnes i

Beth ddarganfues i

Ymchwiliad 1

Ydy dau ddarn o edau ddwywaith mor gryf ag un darn o edau?

Ymchwiliad 2

Pa un yw'r cryfaf – papur ysgrifennu neu bapur gwrthsaim?

Ymchwiliad 3

Pa sylwedd sydd fwyaf hydawdd mewn dŵr – halen neu siwgr?

1 Rhowch 2 enghraifft ym mhob achos o
ddefnydd sydd:
a) yn gryf   b) yn hyblyg   c) yn feddal.

2 Gallech wneud eich geiriadur
priodweddau eich hun.
Ysgrifennwch 10 gair sy'n cael eu
defnyddio i ddisgrifio defnyddiau.
Rhowch y geiriau yn nhrefn yr wyddor.
Ysgrifennwch frawddeg i egluro ystyr
pob gair. Gwnewch luniau os bydd o
gymorth i egluro.

3 Chwiliwch am wybodaeth am
ddiemwntau. O ble maen nhw'n dod? I ba
bwrpas maen nhw'n cael eu ddefnyddio?

4 Faint rydych chi'n ei wybod am ailgylchu?
Dyma pryd mae defnyddiau'n cael eu didoli,
eu trin, ac yna eu haildefnyddio.
Enwch 3 defnydd allai gael eu hailgylchu.
Pam mae ailgylchu defnyddiau'n bwysig?

5 Nifer o haenau tenau o bren sydd wedi eu
gludio at ei gilydd yw pren haenog (*plywood*).
Meddai Anna, "Dydy pren haenog ddim mor
gryf â darn solid o bren."
Sut allech chi brofi syniad Anna?

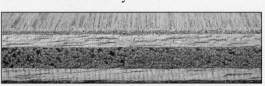

Pethau
i'w gwneud

Sôn am lanast!

Bydd trafferthion yn codi yma!

➤ Edrychwch ar y lluniau hyn o ddefnyddiau yn cael eu defnyddio mewn 4 sefyllfa wahanol.

Eglurwch pam nad yw'r defnydd a ddangosir yn addas.

Awgrymwch pa ddefnydd fyddai orau i'w ddefnyddio bob tro.

Rhaid dewis y defnydd gorau ar gyfer y gwaith.

➤ Meddyliwch am y defnyddiau sydd wedi eu dewis ar gyfer yr eitemau yn y ffotograffau isod.

Ysgrifennwch o leiaf ddwy briodwedd sy'n gwneud y defnydd yn addas ar gyfer y gwaith ym mhob achos.

Gwneud parasiwt

Nawr rydych am ddewis defnyddiau addas ar gyfer gwneud parasiwt!

Dylai eich parasiwt allu cludo gwrthrych bychan a glanio'n ddiogel.

- Màs y gwrthrych fydd 2 g.
- Bydd yn cael ei ollwng o uchder o 3 m neu fwy.
- Dylai gymryd cymaint o amser ag sy'n bosibl i gyrraedd y llawr.
- Dylai lanio'n ysgafn.

Edrychwch ar y cynllun syml hwn ar gyfer parasiwt:

Bydd angen i chi feddwl am y defnyddiau gorau ar gyfer y gwaith.

Cynlluniwch yn ofalus yn eich grwpiau.

Bydd angen i chi weithio'n gyflym. Rhaid cynnwys pawb.

Gofalwch fod eich parasiwt yn barod mewn pryd.

Tybed ai eich parasiwt chi fydd y gorau?

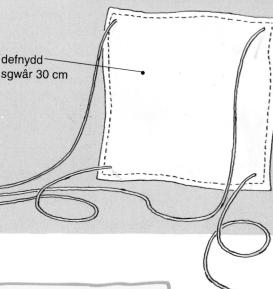

defnydd sgwâr 30 cm

defnydd cynnal 50 cm o hyd

---

1 Dewiswch un o'r defnyddiau canlynol:

aur   papur   gwydr
pren   plastig

Casglwch luniau o bapurau newydd i ddangos sut mae'r gwahanol ddefnyddiau'n cael eu defnyddio i wneud pethau gwahanol.

2 Ysgrifennwch 3 ffordd o ddefnyddio pob un o'r defnyddiau hyn:
a)   pren
b)   plastig
c)   metel
ch) gwydr
d)   concrit.

3 Gwnewch arolwg o'r modd mae bwyd yn cael ei becynnu. Edrychwch ar fwydydd gartref neu mewn siop gan sylwi ar y pecynnu.
a) Pa ddefnyddiau sy'n cael eu defnyddio i becynnu?
b) Pam mae'r defnyddiau hyn yn addas?
c) Oes angen yr holl ddefnydd pecynnu – beth yw eich barn am hyn?

4 Gwnewch ddarlun o feic. Ychwanegwch labeli i ddangos y defnyddiau a ddefnyddir i wneud y gwahanol rannau.

5 Dewiswch un ystafell yn eich tŷ. Gwnewch restr o'r defnyddiau sydd yn yr ystafell. Eglurwch i ba bwrpas mae pob defnydd yn cael ei ddefnyddio a pham mai'r defnydd hwnnw yw'r mwyaf addas, e.e. gwydr ... yn cael ei ddefnyddio mewn ffenestr ... gall golau fynd trwyddo.

6 Dychmygwch eich bod wedi dyfeisio math newydd o blastig.
Mae'n ysgafn.
Mae'n bosibl ei fowldio er mwyn creu gwahanol siapiau.
Mae i'w gael mewn pob math o liwiau.
Mae'n galed ac yn gryf.
Mae'n addas i ddal dŵr berwedig yn ddiogel.
Cynlluniwch bamffled lliwgar i hysbysebu eich defnydd newydd i gwmnïau allai ei ddefnyddio wrth wneud eu cynnyrch.

Pethau i'w gwneud

Cwestiynau

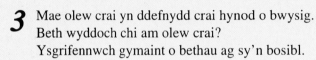

1 Edrychwch ar y darluniau.
Rhannwch y gwrthrychau yn ddau grŵp.
Eglurwch sut rydych chi wedi eu dosbarthu.
Ydy hi'n anodd dosbarthu rhai o'r gwrthrychau?
Os felly, eglurwch pam.

2 Edrychwch ar y llun o'r cae chwarae a dewiswch 6 o bethau
allai gael eu gwneud o wahanol ddefnyddiau.
Copïwch y tabl hwn a'i gwblhau ar gyfer pob gwrthrych yn ei dro.

Gwrthrych	Defnydd	Defnydd crai

3 Mae olew crai yn ddefnydd crai hynod o bwysig.
Beth wyddoch chi am olew crai?
Ysgrifennwch gymaint o bethau ag sy'n bosibl.

4 Mae Mrs Jones yn bwriadu peintio a phapuro ystafell Ifor.
Mae Ifor yn ddwy oed a braidd yn flêr.
Cafodd Mrs Jones samplau o bapur wal sydd i fod yn
bapur hawdd ei gadw'n lân.
a) Cynlluniwch ymchwiliad i ddarganfod pa bapur wal sydd
   hawsaf i'w gadw'n lân.
b) Pa ffactorau eraill fyddai Mrs Jones yn debygol o'u hystyried
   cyn prynu'r papur?

5 Mae arolwg wedi ei gynnal o gynnwys biniau sbwriel eich
ysgol, a'r canlyniadau wedi eu dangos ar ffurf tabl. Mae
grŵp o ddisgyblion am ddarganfod ydy hi'n bosibl
ailgylchu'r gwastraff.
a) Lluniwch siart bar o'r canlyniadau.
b) Pa ganran o'r gwastraff sydd yn blastig?
c) O ble rydych chi'n meddwl mae'r rhan fwyaf o'r
   alwminiwm gwastraff yn dod?
ch) Ydy ailgylchu yn werth y drafferth?
    Os felly, pam? Neu os nad ydy, rhowch resymau.
d) Sut fyddech chi'n annog disgyblion i ailgylchu'r gwastraff?

Math o wastraff	Nifer yr eitemau
papur	85
gwydr	45
alwminiwm	30
metelau eraill	5
plastig	30
eraill	5

6 Meddyliwch am y math o ddefnydd sy'n cael ei ddefnyddio ar
gyfer gwneud peipiau draenio mewn tŷ newydd.
Gwnewch restr o'r priodweddau ddylai defnydd o'r fath eu cael.

Heb egni ni fyddai dim byd yn digwydd fyth!

Rhaid i bopeth byw gael egni i fyw a symud.
Daw eich egni o'r bwyd rydych yn ei fwyta.

Nid yw peiriannau'n gallu gweithio heb egni.
Mae angen yr egni a ddaw o danwyddau ar gyfer ein cartrefi,
cludiant a ffatrïoedd.

Penawdau:
	3a	*Beth yw egni?*
	3b	*Rhedeg ar egni*
	3c	*Bwyd ac egni*
	3ch	*Ydych chi'n cael digon o egni?*
	3d	*Egni'n dod i ben*

Beth yw egni?

Mae'r gair **egni** yn cael ei ddefnyddio yn aml.
"Rydw i'n llawn **egni** heddiw," meddai Teleri.
Meddai John, "Does gen i ddim digon o egni i ddringo'r bryn yma."
Dywedodd gyrrwr car, "Mae'n rhaid i mi roi mwy o betrol yn fy
nghar, does dim llawer o egni ar ôl ynddo."

➤ Ysgrifennwch dair brawddeg yn cynnwys y gair 'egni'.

➤ Awgrymwch beth yw ystyr y gair 'egni'.
   O ble daw eich egni chi?

➤ Edrychwch ar y ffotograff.
   Sawl enghraifft o egni sydd i'w gweld? Rhestrwch nhw.

Diagramau egni

Rhaid cael egni i wneud unrhyw waith, neu i wneud i bethau weithio.
Rhaid i'r egni gael ei *drosglwyddo* o un lle i le arall.

Enghraifft 1

Dychmygwch eich bod yn weindio tegan clocwaith, ac yna yn gadael
iddo redeg ar hyd y bwrdd.
Sut mae egni yn cael ei drosglwyddo yma?

dechrau
egni wedi'i storio
yn eich corff

egni wedi'i storio yn y sbring
sydd wedi'i weindio

mae'r tegan
yn symud

Diagram Trosglwyddo Egni yw hwn.

Enghraifft 2

Ambell waith mae Diagram Trosglwyddo Egni yn rhannu'n ddwy ran neu fwy. Dychmygwch
eich bod yn goleuo fflachlamp:

egni wedi'i storio
yn y batri

egni yn goleuo'r
ystafell

egni yn gwresogi'r
bwlb

Mae'r egni sydd yn gwresogi'r bwlb yn cael ei *wastraffu*. Dydy e' ddim yn ddefnyddiol.

Enghraifft 3

Rhwbiwch eich dwylo yn gyflym hyd at 20 o weithiau. Beth rydych chi'n sylwi arno?
Copïwch a chwblhewch y diagram egni hwn.

.... wedi'i storio
yn fy ....

egni symudiad o ganlyniad
i rwbio 'nwylo

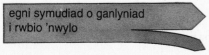

mae'r egni'n
.... fy nwylo

.... 'r sŵn mae fy
nwylo yn ei wneud

Trosglwyddo egni

Rhowch gynnig ar bob un o'r arbrofion hyn gan arsylwi'n ofalus arnyn nhw.
Meddyliwch am y broses o drosglwyddo egni. Ar gyfer pob arbrawf:

- gwnewch fraslun o'r offer, a
- lluniwch Ddiagram Trosglwyddo Egni.

a car clocwaith

b batri a bwlb lamp

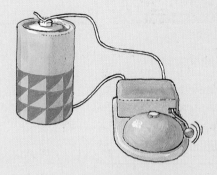

c batri a larwm neu gloch drws

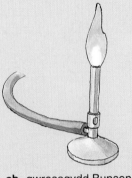

ch gwresogydd Bunsen

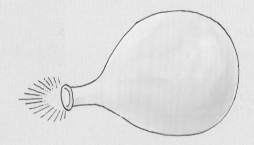

d chwythwch y falŵn ac yna ei gollwng

dd dynamo a lamp

Mesur egni

Mae angen mesur egni ambell waith. Yr uned sy'n cael ei defnyddio i fesur egni yw'r **joule**. Wrth ei ysgrifennu'n fyr byddwn yn defnyddio **J**.

Cafodd y joule ei enwi ar ôl James Joule (1818–1889). Gwnaeth lawer o arbrofion ynglŷn ag egni.

Uned fechan o egni yw'r joule. I godi afal oddi ar y llawr a'i roi ar y bwrdd, mae angen tuag 1 joule o egni.

Ond os ydych yn *bwyta*'r afal, bydd yn rhoi llawer o egni i chi – tua 200 000 joule. Mae hynny'n ddigon o egni ar gyfer dringo 50 set o risiau!

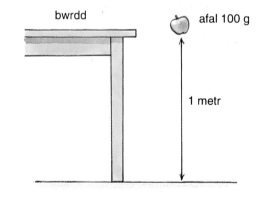

bwrdd

afal 100 g

1 metr

---

1 Copïwch a chwblhewch:
a) Mae angen .... i gwblhau gwaith.
b) Mae egni yn cael ei fesur mewn ....

2 Sut mae egni yn cael ei drosglwyddo wrth droi pedalau beic? Gwnewch ddiagram wedi'i labelu'n glir. Awgrymwch sut fyddai hyn yn newid pe byddech yn rhoi olew i'r beic.

3 Gwnewch Ddiagram Trosglwyddo Egni ar gyfer set deledu sy'n gweithio â batri.

4 Gwnewch Ddiagramau Trosglwyddo Egni:
a) merch yn saethu saeth o fwa
b) bachgen yn cicio pêl droed
c) coelcerth yn llosgi
ch) roced dân gwyllt
d) car yn rhedeg ar betrol.

Pethau i'w gwneud

Rhedeg ar egni

Storio egni

Mae'n bosibl storio egni.
Er enghraifft, mae egni wedi'i storio mewn petrol.
Pan fydd petrol yn cael ei losgi mewn car, mae'r
egni a storiwyd yn cael ei drosglwyddo yn
egni symudiad y car *ac* yn egni i wresogi'r car.

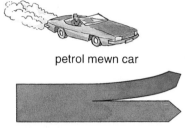

petrol mewn car

egni yn gwresogi'r car a'r aer

egni potensial wedi'i storio mewn petrol

egni symudiad y car

Egni potensial yw'r enw ar egni sydd wedi'i storio.

Dyma rai enghreifftiau o egni potensial:

- **Egni cemegol** Er enghraifft: mewn petrol; mewn batri;
  yn y bwyd rydych yn ei fwyta.

- **Egni straen** Er enghraifft: mewn catapwlt; mewn car
  clocwaith; mewn balŵn sydd wedi ei chwythu.

- **Egni disgyrchedd** Er enghraifft: pan fyddwch yn sefyll ar
  ben ysgol, mae gennych egni disgyrchedd. Os byddwch yn
  syrthio oddi ar ben yr ysgol, bydd yr egni yn eich anafu!

- Edrychwch ar y ffotograff. Pa fath o egni sydd gan y sgïwr
  ar ben y bryn?

  Pan fydd hi'n sgïo i lawr y bryn, mae'r egni potensial yn cael
  ei drosglwyddo yn egni symudiad. (Enw arall ar egni symudiad
  yw **egni cinetig**.)

➤ Edrychwch ar **arbrofion a – dd** ar dudalen 35.
  Ble mae'r egni sydd wedi'i storio ym mhob un? Gwnewch restr.

egni potensial ➡ egni cinetig

Y ddeddf egni

Dyma ddiagram egni ar gyfer batri
sydd wedi ei gysylltu i fodur trydan:

Os ydych yn mesur maint yr egni (mewn jouleau)
cyn y trosglwyddo ac *ar ôl* y trosglwyddo,
bydd yr *ateb yr un fath*.

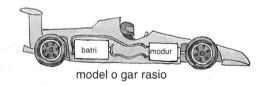

model o gar rasio

Yn y diagram, mae 100 joule o egni sydd wedi'u storio
mewn batri yn cael eu trosglwyddo yn 70 joule o
egni symudiad a 30 joule o egni i wresogi'r modur.
Felly: 100 = 70 + 30, sef yr un faint o egni.

100 J
egni potensial
wedi'i storio
mewn batri

70 J
egni
symudiad

30 J
egni yn
gwresogi'r
modur
(egni
gwastraff)

Fodd bynnag, 70 joule yn unig o egni sy'n ddefnyddiol i ni,
fel egni symudiad. Mae'r 30 J arall yn cael eu gwastraffu, gan
nad ydyn nhw'n ddefnyddiol i ni.

Dyma'r hyn sy'n digwydd fel arfer gyda throsglwyddo egni.
**Er bod yr un faint o egni ar gael wedi'r trosglwyddo,
nid yw'r cyfan yn egni defnyddiol.**

Injan stêm

Edrychwch yn ofalus sut mae'r injan stêm yn gweithio.

injan stêm yn codi pwysau

injan stêm

tanwydd

injan stêm

injan stêm yn cynhyrchu trydan (fel gorsaf bŵer)

dynamo

'tŷ'

➤ Edrychwch yn ofalus ar y ddau lun gan chwilio yn arbennig am enghreifftiau o drosglwyddo egni. Lluniwch Ddiagram Trosglwyddo Egni ar gyfer y ddau lun. Ceisiwch gynnwys pob enghraifft o drosglwyddo egni.

Ymchwilio i degan clocwaith

Cynlluniwch ymchwiliad i weld sut mae'r *pellter* mae tegan yn ei *symud* yn dibynnu ar *ba mor dynn mae wedi ei weindio*.

- Sut fyddwch yn mesur y pellter yn fanwl gywir?
- Fyddwch chi'n ei weindio mewn troeon cyfan neu mewn hanner troeon?
- Sut fyddwch yn gofalu bod y prawf yn un *teg*?

Gofynnwch i'ch athro/athrawes edrych ar eich cynllun, yna ewch ati i ymchwilio.

---

1 Copïwch a chwblhewch:
a) Egni .... yw egni sydd wedi'i storio.
b) Mae hyn yn cynnwys .... cemegol, egni .... ac egni .... .
c) Mae Diagram .... Egni yn dangos sut mae'r egni yn .... .
ch) Mae faint o .... sydd ar gael cyn y trosglwyddo bob amser .... i faint o egni sydd ar gael .... trosglwyddo.

2 Mae batri wedi ei gysylltu i fwlb lamp. Gwnewch Ddiagram Trosglwyddo Egni ar gyfer hyn. Pan fydd y bwlb wedi ei oleuo, mae'r batri yn rhoi 100 joule o egni. Os yw 80 J yn gwresogi'r ystafell, sawl joule sydd yn goleuo'r ystafell?

3 Pa un o'r ddau air hyn allech ei ddefnyddio i ddisgrifio'r enghreifftiau hyn – egni *potensial* (wedi'i storio) neu egni *cinetig* (symudiad)?
a) tun o betrol
b) car yn teithio i lawr y ffordd
c) dŵr ar ben uchaf rhaeadr
ch) dŵr ar waelod rhaeadr
d) bwa wedi ei ymestyn gyda'r saeth ar fin cael ei rhyddhau
dd) y saeth, hanner ffordd at y targed
e) carreg ar ben clogwyn
f) carreg sy'n disgyn, hanner y ffordd i lawr.

4 Lluniwch boster gyda'r gair 'egni' yn y canol, a'r prif fanylion o'i gwmpas.

Pethau i'w gwneud

Bwyd ac egni

Mae'n rhaid cael egni i redeg, eistedd, anadlu a hyd yn oed i gysgu. Yn wir, mae angen egni i wneud popeth.

Daw eich egni o'r bwyd rydych yn ei fwyta. Y bwyd hwn yw eich tanwydd. Mae bron popeth rydych yn ei fwyta yn cynnwys egni.

Mae'r egni mewn bwyd yn cael ei fesur mewn **cilojouleau (kJ).** **1 cilojoule = 1000 joule.**

➤ Edrychwch ar yr egni potensial sydd yn y bwydydd hyn.

a Faint o egni sydd mewn brecwast sy'n cynnwys creision ŷd, iogwrt a chwpanaid o de?

b Faint o egni sydd mewn pryd sy'n cynnwys 2 rôl selsig a sglodion?

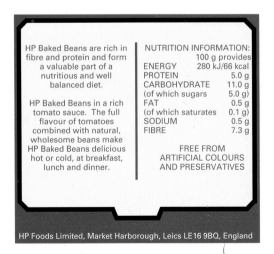

creision ŷd â llaeth 700 kJ

iogwrt 400 kJ

rhôl selsig 1500 kJ

sglodion 1000 kJ

te, siwgr a llaeth 200 kJ

Faint o egni?

Mae'r egni sydd i'w gael mewn bwyd yn aml wedi ei nodi ar y label. Fel arfer, mae'n cael ei ddangos mewn cilojouleau (**kJ**), a hefyd mewn cilocalorïau (kcal). (kcal yw'r uned a welir yn aml mewn dietau colli pwysau.)

➤ Edrychwch ar y labeli bwyd hyn.

c Pam mae'r egni yn cael ei roi yn ôl 100 gram o bob bwyd?

ch Pa un o'r bwydydd hyn sy'n cynnwys y lleiaf o egni y 100 g?

d Beth sy'n digwydd os yw'r bwyd rydych yn ei fwyta yn cynnwys mwy o egni nag sydd ei angen arnoch?

HP Baked Beans are rich in fibre and protein and form a valuable part of a nutritious and well balanced diet.

HP Baked Beans in a rich tomato sauce. The full flavour of tomatoes combined with natural, wholesome beans make HP Baked Beans delicious hot or cold, at breakfast, lunch and dinner.

NUTRITION INFORMATION:	
	100 g provides
ENERGY	280 kJ/66 kcal
PROTEIN	5.0 g
CARBOHYDRATE	11.0 g
(of which sugars	5.0 g)
FAT	0.5 g
(of which saturates	0.1 g)
SODIUM	0.5 g
FIBRE	7.3 g

FREE FROM
ARTIFICIAL COLOURS
AND PRESERVATIVES

HP Foods Limited, Market Harborough, Leics LE16 9BQ, England

NUTRITION

Sainsbury's Sardines in Brine are a good source of Calcium and Vitamin D, both needed for strong bones and teeth; Vitamin B$_{12}$, required for healthy blood and nervous system, Niacin which helps food to give us energy.

	TYPICAL VALUES PER 100 g (3½ oz) OF DRAINED PRODUCT
ENERGY	170 kCALORIES 705 kJOULES
PROTEIN	23.4 g
CARBOHYDRATE	less than 0.1 g
TOTAL FAT	8.3 g
ADDED SALT	0.5 g

VITAMINS/ MINERALS	% OF RECOMMENDED DAILY AMOUNT
NIACIN	45%
VITAMIN B$_{12}$	1400%
VITAMIN D	300%
CALCIUM	110%
IRON	25%

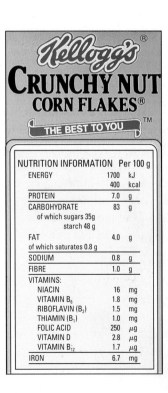

Kellogg's
CRUNCHY NUT CORN FLAKES®
THE BEST TO YOU ™

NUTRITION INFORMATION	Per 100 g	
ENERGY	1700	kJ
	400	kcal
PROTEIN	7.0	g
CARBOHYDRATE	83	g
of which sugars 35g		
starch 48 g		
FAT	4.0	g
of which saturates 0.8 g		
SODIUM	0.8	g
FIBRE	1.0	g
VITAMINS:		
NIACIN	16	mg
VITAMIN B$_6$	1.8	mg
RIBOFLAVIN (B$_2$)	1.5	mg
THIAMIN (B$_1$)	1.0	mg
FOLIC ACID	250	µg
VITAMIN D	2.8	µg
VITAMIN B$_{12}$	1.7	µg
IRON	6.7	mg

Anghenion egni gwahanol

Mae faint o egni sydd ei angen arnoch yn dibynnu ar:

eich maint,

pa mor fywiog ydych,

pa mor gyflym rydych yn tyfu.

➤ Edrychwch ar y darluniau hyn ac yna atebwch y cwestiynau.

Pam, yn eich barn chi, mae angen mwy o egni ar fechgyn na merched fel arfer?

Pam mae angen mwy o egni ar weithwyr sy'n gwneud gwaith corfforol na gweithwyr swyddfa? Faint mwy o egni sydd ei angen?

f Pam mae angen mwy o egni ar fachgen 13 oed na pherson sy'n gweithio mewn swyddfa? Faint mwy o egni sydd ei angen arno?

Pam mae bod yn feichiog yn golygu bod raid i ferch gael mwy o egni?

Egni o fwyd mewn gwahanol wledydd

➤ Edrychwch ar y siart bar:

g Ym mha un o'r gwledydd hyn mae pobl yn cymryd y mwyaf o egni o fwyd?

Pobl pa wlad sy'n bwyta leiaf?

Pam mae cymaint o wahaniaethau, yn eich barn chi?

Sut fydd hyn yn efffeithio ar iechyd y bobl?

Trafodwch y cwestiynau hyn o fewn eich grŵp.

bachgen 12-15 oed
11 700 kJ y dydd

dyn sy'n gwneud gwaith corfforol 15 000 kJ y dydd

merch sy'n gweithio mewn swyddfa 9800 kJ y dydd

merch 12-15 oed
9700 kJ y dydd

dyn sy'n gweithio mewn swyddfa 11 000 kJ y dydd

merch sy'n feichiog
10 000 kJ y dydd

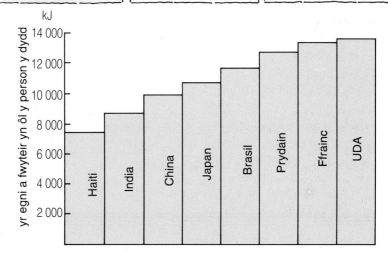

kJ — yr egni a fwyteir yn ôl y person y dydd

Haiti, India, China, Japan, Brasil, Prydain, Ffrainc, UDA

Lluniwch siart bar yn dangos yr egni sydd ei angen y munud ar gyfer y canlynol:

ysgu	4 kJ y munud
wyta	6 kJ y munud
sgrifennu	7 kJ y munud
erdded	15 kJ y munud
ringo grisiau	20 kJ y munud
hedeg	30 kJ y munud

Defnyddiwch y data yn y tabl ar yr udalen gyferbyn i gynllunio:

) pryd o fwyd sy'n cynwys tua 3500 kJ

) diet diwrnod i ferch sy'n gweithio mewn swyddfa ac sydd am golli pwysau

) diet diwrnod ar gyfer dyn sy'n hyfforddi ar gyfer ras hir.

3 Gwnewch arolwg o'r dosbarth i ddarganfod beth mae pawb yn ei fwyta ganol dydd. Edrychwch ar y canlyniadau a cheisiwch weld oes yna batrwm, er enghraifft:

• ydy bechgyn yn bwyta mwy o fwydydd egni uchel na merched?

• ydy pobl sy'n tueddu i fod yn fawr yn bwyta mwy o fwydydd egni uchel na phobl fach?

4 Darllenwch am y peryglon o geisio colli gormod o bwysau.
Ceisiwch gael gwybodaeth am *anorecsia* a *bwlimia*.

5 Cynlluniwch ymchwiliad i ddarganfod pa fwydydd mae adar yn eu hoffi fwyaf.

Pethau i'w gwneud

Egni'n dod i ben

Rhaid cael egni i gynnal ein cartrefi, i gynnal ein cludiant a'n ffatrïoedd. Daw y rhan fwyaf o'r egni hwn drwy losgi **tanwydd**. Mae tanwydd yn storio egni.

➤ Gwnewch restr o bob tanwydd sydd ar gael. Bydd y darlun o gymorth i chi.

➤ Ysgrifennwch 3 pheth yn eich bywyd fyddai'n wahanol pe na byddai'r tanwyddau hyn ar gael.

Tanwyddau ffosil yw glo, olew a nwy naturiol. Maen nhw wedi eu gwneud o weddillion planhigion ac anifeiliaid oedd yn byw ar y Ddaear tua 100 miliwn o flynyddoedd yn ôl.

➤ Edrychwch ar y tabl data a defnyddiwch y data i ateb y cwestiynau canlynol:

a   Pa danwydd yw'r un hawsaf i'w danio?

b   Pa danwydd yw'r un glanaf wrth losgi?

c   Pa danwydd ffosil sydd yn solid?

ch   Pa hylif sy'n rhoi petrol i ni?

d   Pa danwydd sy'n cynhyrchu fwyaf o egni wrth losgi 1 gram ohono?

dd   Mae pris y tanwyddau hyn yn amrywio o flwyddyn i flwyddyn, ond pa un yw'r rhataf yn ôl y tabl?

Tanwydd ffosil	Hawdd ei danio?	Yn llosgi'n lân?	Egni sy'n cael ei ryddhau	Swm yr egni am £1 (yn fras)
nwy naturiol	hawdd iawn	ydy	55 kJ y gram	230 000 kJ
olew	ydy	nac ydy	45 kJ y gram	250 000 kJ
glo	nac ydy	nac ydy	30 kJ y gram	300 000 kJ

Mae tanwyddau ffosil yn ffynonellau egni **anadnewyddadwy**. Wedi iddyn nhw gael eu defnyddio, fyddan nhw ddim ar gael.

➤ Gan edrych ar y siart amser chwiliwch am:
• flwyddyn eich geni
• y flwyddyn bresennol
• y flwyddyn y byddwch yn 40 oed.
• y flwyddyn y byddwch yn 60 oed.

e   Beth y sylwch arno ynglŷn â'r tanwyddau?

f   Beth fydd wedi digwydd i'r tanwyddau erbyn y byddwch yn 60 oed?

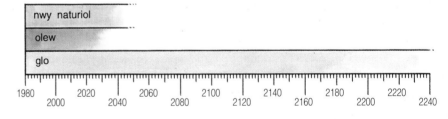

➤ Mae ffynonellau eraill o egni sy'n **adnewyddadwy**, er enghraifft, egni o'r gwynt (melinau gwynt).

ff   Enwch fathau eraill o egni adnewyddadwy. Gwnewch restr ohonyn nhw.

Defnyddio egni

Mewn rhai gorsafoedd pŵer mae tanwyddau ffosil yn cael eu defnyddio i wneud trydan.

Gallwn gael egni hefyd o'r canlynol:

- *gorsafoedd pŵer niwclear.* Uraniwm sy'n cael ei ddefnyddio yma ond nid yw hyn yn digwydd yn aml iawn erbyn hyn.
- *gorsafoedd pŵer trydan-dŵr.* Maen nhw'n defnyddio'r egni potensial a ddaw o ddŵr sy'n cael ei gadw mewn argaeau uchel.
- *biomas.* Dyma'r egni sy'n cael ei storio mewn planhigion sy'n tyfu e.e. coed.

➤ Edrychwch ar y siartiau cylch a'u defnyddio i ateb y cwestiynau canlynol:

g Pa fathau o ffynonellau egni sydd ar gael ym Mhrydain?

ng Pa ffynhonnell egni oedd yn cael ei defnyddio fwyaf ym Mhrydain yn 1990?

h Beth oedd y ganran ar gyfer nwy naturiol ym Mhrydain? Ble rydych yn defnyddio nwy naturiol yn yr ysgol?

i Pa un oedd y ffynhonnell egni leiaf ym Mhrydain? Beth oedd y rheswm dros hyn?

j Pa ffynhonnell na chafodd ei defnyddio ym Mhrydain?

l Pa ffynonellau sy'n ffynonellau *adnewyddadwy*?

ll Gan weithio mewn grwpiau, ceisiwch gymharu'r ddau siart ac awgrymu rhai rhesymau pam, yn eich barn chi, eu bod yn wahanol.

m Ceisiwch *ragfynegi* siart cylch y byd pan fyddwch yn 60 oed.

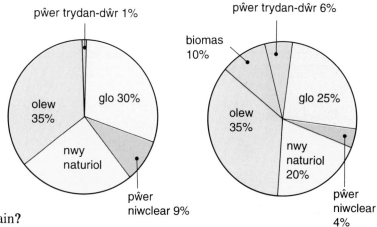

Prydain yn 1990   **Y byd yn 1990**

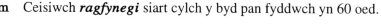

Sut allech chi ymchwilio i faint o egni mae gwahanol danwyddau yn ei gynhyrchu?

Cynlluniwch yr ymchwiliad hwn.

- Gwnewch fraslun o'r offer fyddech yn eu defnyddio.
- Sut mae gwneud yn siŵr ei fod yn brawf teg?
- Pa bwyntiau diogelwch fyddech yn eu dilyn?

Peidiwch â gwneud yr arbrawf oni bai bod eich athro/athrawes yn dweud wrthych am ei wneud.

1 Mae petrol, glo a thatws yn fathau o danwydd. Sut allech chi ddefnyddio'r tanwyddau hyn i gadw'n gynnes?

2 Gwnewch arolwg o'r holl danwyddau sy'n cael eu defnyddio yn eich cartref.

3 Lluniwch boster i hysbysebu tanwydd. Dewiswch un o'r canlynol: olew, glo, pren neu nwy.

4 Gwnewch dabl i ddangos sut allai pobl arbed tanwydd ffosil. Er enghraifft:

Cam i'w gymryd	Arbed tanwydd
Gyrru ceir llai	Defnyddio llai o betrol

5 Gwnewch restr o briodweddau tanwydd *delfrydol*.

Pethau i'w gwneud

Cwestiynau

1 Lluniwch Ddiagramau Trosglwyddo Egni ar gyfer:
a) tân glo
b) bocs yn cael ei godi i fyny ar silff
c) saethwr yn tynnu llinyn bwa cyn rhyddhau'r saeth.

2 Rhestrwch 6 pheth sy'n defnyddio egni yn y cartref. Gosodwch nhw mewn trefn gan ddechrau gyda'r un sy'n defnyddio fwyaf o egni, yn eich barn chi, a gorffen gyda'r un sy'n defnyddio leiaf.

3 Rhestrwch rai o'r dulliau allai eich ysgol eu defnyddio i leihau ei biliau egni.

4 Mae tua un rhan o dair o boblogaeth y byd yn brin o fwyd.
a) Beth, yn eich barn chi, yw'r rheswm dros hyn? Rhowch gymaint o resymau ag sy'n bosibl.
b) Beth ddylai gael ei wneud i ddatrys y broblem hon?

5 Mae hysbysebion am rai batrïau HP2 yn honni bod mwy o egni ynddyn nhw nag mewn batrïau eraill. Cynlluniwch ymchwiliad i ddarganfod pa un o ddau fatri newydd sydd â'r mwyaf o egni wedi'i storio ynddo.

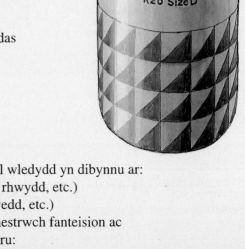

6 Eglurwch pam mae'r tanwyddau canlynol yn rhai addas ar gyfer y gwaith maen nhw'n ei wneud:
a) siwgr mewn cwpanaid o de
b) petrol mewn car
c) nwy mewn gwresogydd Bunsen
ch) cwyr mewn cannwyll
d) glo mewn gorsaf bŵer.

7 Mae'r ffynonellau egni a ddefnyddir mewn gwahanol wledydd yn dibynnu ar:
i) rhesymau economaidd (pris, ydyn nhw ar gael yn rhwydd, etc.)
ii) rhesymau amgylcheddol (llygredd, difrod i'r tirwedd, etc.)
Meddyliwch yn ofalus am y rhesymau hyn, ac yna rhestrwch fanteision ac anfanteision defnyddio'r ffynonellau canlynol i Gymru:
a) glo
b) pŵer trydan-dŵr
c) pŵer y gwynt

8 Ysgrifennwch am bob enghraifft o drosglwyddo egni sydd i'w gweld yn y ffotograff.

Fuoch chi erioed ar lan y môr? Mae'n lle diddorol a chyffrous.

Mae llawer o greaduriaid yn byw yno, yn arbennig yn y pyllau dŵr sydd ar y creigiau. Pan fydd y llanw yn mynd allan, mae'r dŵr yn aros yn y pyllau hyn. Mae pob un fel acwariwm bychan. Gall llawer o blanhigion ac anifeiliaid fyw yn y pyllau hyn hyd nes y bydd y llanw'n dod i mewn eto.

Y tro nesaf fyddwch chi'n mynd i lan y môr, edrychwch faint o anifeiliaid a phlanhigion welwch chi yno. Gofalwch beidio â'u niweidio. Mae'n bwysig peidio â'u cyffwrdd er mwyn i bobl eraill allu eu gweld.

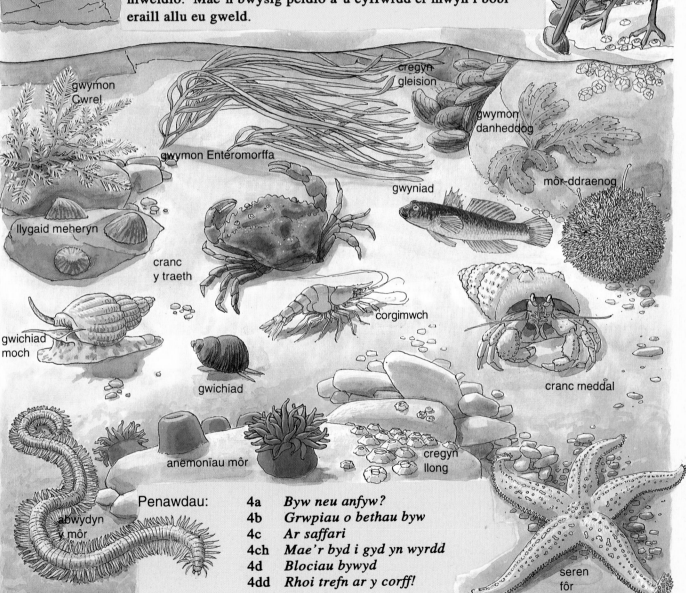

pioden y môr

gwymon Cwrel

cregyn gleision

gwymon danheddog

gwymon Enteromorffa

môr-ddraenog

gwyniad

llygaid meheryn

cranc y traeth

corgimwch

gwichiad moch

gwichiad

cranc meddal

anemonïau môr

cregyn llong

abwydyn y môr

seren fôr

Penawdau:

4a   *Byw neu anfyw?*
4b   *Grwpiau o bethau byw*
4c   *Ar saffari*
4ch *Mae'r byd i gyd yn wyrdd*
4d   *Blociau bywyd*
4dd *Rhoi trefn ar y corff!*

Byw neu anfyw?

Sut mae penderfynu a yw rhywbeth yn fyw ai peidio?

➤ Ysgrifennwch gymaint o syniadau ag sy'n bosibl ynglŷn â'r hyn mae **popeth** byw yn ei wneud.
Trafodwch a yw eich syniadau yn wir am bob un o'r canlynol:
- cwningen
- bwrdd
- coeden
- robot
- caws

➤ Mae'r tabl isod yn dangos rhagor o syniadau am bethau byw. Injan car yw'r eitem anfyw yn y tabl hwn. Gall y peth byw fod yn anifail o'ch dewis. Gallech ddewis chi eich hun!

Lluniwch y tabl ac atebwch y cwestiynau. Mae'r cyntaf wedi ei wneud eisoes.

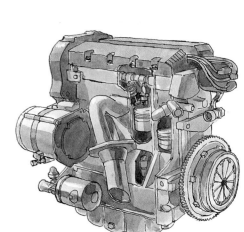

	Anifail (byw)	Injan car (anfyw)
Oes raid iddo gael aer?	oes	oes
Ydy e'n symud?		
All e' dyfu?		
Oes angen bwyd (tanwydd) arno?		
Ydy e'n gallu bwydo ei hun?		
Ydy e'n creu gwastraff?		
Ydy e'n gallu teimlo pethau?		
Fydd e'n marw pan fydd yn hen?		
Ydy e'n gallu bod yn dad/yn fam?		
Ydy hi'n bosibl iddo gael ei fwyta gan greadur byw arall?		

Pwysigrwydd egni

Yn y gwaith wnaethoch chi yn y bennod ddiwethaf, gwelsoch fod rhaid i bopeth byw gael egni i fyw. Ydych chi'n cofio o ble maen nhw'n cael eu hegni?

Mae siwgr yn un math o fwyd sy'n rhoi llawer o egni i ni. Mae'r siwgr sydd yng nghyrff anifeiliaid neu mewn planhigion yn cael ei dorri i lawr i greu egni. Yr enw ar y broses hon yw **resbiradaeth**.

SIWGR + OCSIGEN = CARBON DEUOCSID + DŴR + EGNI I FYW

Rhaid cael ocsigen yn y broses resbiradu. Pan fydd siwgr yn llosgi mewn ocsigen, mae'n rhyddhau egni.
Beth arall, gredwch chi, mae'n ei gynhyrchu?

Annwyl Wyddonydd

Mae ein gweithwyr yn Nyffryn y Meirw wedi darganfod rhywbeth diddorol iawn. Nid ydynt yn hollol siŵr, ond mae'n bosibl eu bod wedi dod o hyd i hadau na welwyd eu tebyg o'r blaen. Rydym am gael gwybod a yw'r rhain yn fyw ai peidio.

A fyddai'n bosibl i chi gynllunio a chynnal ymchwiliad i ddarganfod a yw'r hadau yn fyw ai peidio? Cofiwch ei wneud yn brawf teg, ac anfon eich adroddiad ataf fi.

Gyda diolch

D.A.R. Ganfod

Planhigion: peiriannau gwyrdd

Ydych chi'n gwybod beth mae planhigion yn gallu ei wneud nad yw pethau byw eraill yn gallu ei wneud?

Maen nhw'n gallu gwneud eu bwyd eu hunain trwy broses o'r enw **ffotosynthesis**. O fewn pob deilen mae sylwedd gwyrdd o'r enw **cloroffyl**. Mae hwn yn eu galluogi i ddefnyddio egni'r haul i wneud siwgrau.

Gwahaniaethau rhwng planhigion ac anifeiliaid

➤ Copïwch a chwblhewch y tabl isod i ddangos y prif wahaniaethau rhwng y 2 fath hyn o bethau byw.

Planhigion	Anifeiliaid
1. Dydyn nhw ddim yn symud llawer	1. Maen nhw'n symud o gwmpas lawer iawn
2.	2.

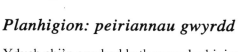

1 Mae rhai robotau yn gallu symud ac yn sensitif i bethau fel arogl a sŵn. Beth yw'r rheswm ein bod yn dweud eu bod yn anfyw?

2 Ydych chi'n gwybod am unrhyw blanhigion sy'n gallu cynhyrchu bwyd i bobl o ganlyniad i ffotosynthesis? Gwnewch restr a nodwch pa ran o'r planhigyn sy'n cael ei fwyta, e.e. gwraidd, deilen, hadau.

3 Copïwch y gweithgareddau sydd wedi eu rhestru yn y golofn ar y chwith, yna ceisiwch gyfateb bob un gyda'r enghraifft gywir o'r golofn ar y dde.

TYFU	dianc rhag perygl
RESBIRADU	dod yn rhiant
CAEL GWARED O WASTRAFF	cynyddu maint eich corff
SYMUD	arogli bwyd
ATGENHEDLU	bwyta byrbryd
BWYDO	mynd i'r toiled
DEFNYDDIO'R SYNHWYRAU	defnyddio egni mewn ras

Pethau i'w gwneud

Mae miliynau o wahanol fathau o blanhigion ac anifeiliaid yn y byd.

➤ Rhestrwch 10 anifail eich hunan.

Cymharwch eich rhestr gyda rhestrau disgyblion eraill yn eich grŵp.

Caiff pob math gwahanol o anifail neu blanhigyn ei alw yn **rhywogaeth**. Rydych wedi rhestru 10 rhywogaeth o anifeiliaid.

Mae gwyddonwyr wedi ceisio rhoi enw i bob rhywogaeth o blanhigyn ac anifail.

➤ Pam mae hyn wedi bod yn waith anodd?

Mae'r gwaith wedi ei symleiddio trwy roi pethau sy'n debyg i'w gilydd mewn grwpiau, hynny yw, eu **dosbarthu**.

➤ Y ddau grŵp mwyaf yw planhigion ac anifeiliaid. Beth sy'n penderfynu ai anifail neu blanhigyn yw rhywbeth byw?

Mae rhannu grwpiau mawr yn grwpiau bach yn ei gwneud yn haws adnabod pethau byw.

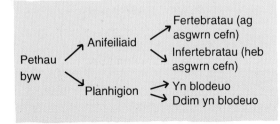

➤ I ba grŵp yn y diagram rydych chi'n perthyn?

➤ Sawl fertebrat all eich grŵp ei enwi mewn un munud?

Infertebratau (anifeiliaid di-asgwrn-cefn)

Sglefren fôr ac anemoni'r môr Corff fel jeli. Mae ganddyn nhw dentaclau a chelloedd sy'n pigo i ddal bwyd

Llyngyren ledog Mae'r corff yn hollol wastad heb segmentau ynddo

Llyngyren gron Co hir tenau heb segmenta

Mwydyn â segmentau Corff hir fel tiwb wedi ei ffurfio o segmentau

Mollusca Mae cragen gan lawer. Dim segmentau yn eu cyrff. Yn symud ar droed gyhyrog

Seren fôr a môr-ddraenog 5 'braich' neu batrwm seren ar eu cyrff. Croen pigog

Arthropodau Coesau cymalog Mae sgerbwd caled ar ochr allan y corff

Grŵp o infertebratau gyda choesau cymalog yw'r arthropodau. Gellir eu rhannu yn 4 grŵp:

Arthropodau

Cramenogion (*crustaceans*) Sgerbwd allanol calchog. Mae'r rhan fwyaf yn byw mewn dŵr

Pryfed 6 choes, 3 rhan i'w cyrff. Mae ganddyn nhw adenydd

Pryfed cop/Corynnod 8 coes, 2 ran i'w cyrff. Nid oes ganddyn nhw adenydd

Cantroed a miltroe Cyrff hir yn cynnwys segmentau. Llawer o g

Pethau byw → Anifeiliaid → Fertebratau (ag asgwrn cefn) / Infertebratau (heb asgwrn cefn)
Pethau byw → Planhigion → Yn blodeuo / Ddim yn blodeuo

➤ Edrychwch eto ar y llun o'r pwll dŵr ar lan y môr ar dudalen 45.

a Mae llawer o infertebratau yn y llun. Defnyddiwch y wybodaeth ar y dudalen hon i benderfynu i ba grŵp mae pob un yn perthyn.

b Mae'r gwyniad a'r bioden fôr yn fertebratau. I ba grŵp mae pob un yn perthyn?

ANIFAIL

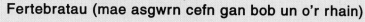

Fertebratau (mae asgwrn cefn gan bob un o'r rhain)

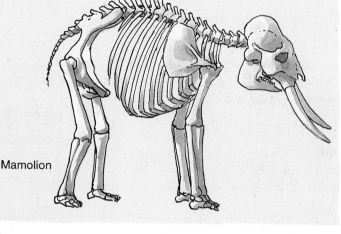

Mamolion

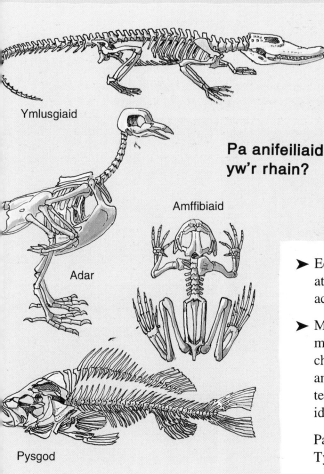

Ymlusgiaid

Adar

Amffibiaid

Pa anifeiliaid yw'r rhain?

Pysgod

➤ Edrychwch yn ofalus ar y rhywogaethau y bydd eich athro/ athrawes yn eu dangos i chi. Ysgrifennwch enw pob anifail ac yna'r grŵp mae'n perthyn iddo.

➤ Mae rhywogaeth newydd o anifeiliaid wedi ei darganfod yn y môr mawr. Does gan yr anifail hwn ddim asgwrn cefn na choesau. Ar un pen i'w gorff mae ganddo lawer o dentaclau o amgylch ei geg. Mae celloedd arbennig (sy'n pigo) ar y tentaclau. Ar y pen arall i'w gorff, mae sugnolyn sy'n gwneud iddo lynu at greigiau. Mae'r anifail yn goleuo yn y tywyllwch.

Pa grŵp y mae'r anifail yn perthyn iddo, yn eich barn chi? Tynnwch ei lun.

➤ Dewiswch un infertebrat o'r grŵp. Lluniwch anifail allai berthyn i'r grŵp a'i ddarlunio. Gofynnwch i'ch ffrind geisio adnabod yr anifail rydych wedi ei lunio.

1 Copïwch a chwblhewch:
Yr enw ar anifeiliaid sydd ag asgwrn cefn yw .... Yr enw ar anifeiliaid sydd heb asgwrn cefn yw .... Mae infertebratau sydd â choesau cymalog yn cael eu gosod mewn grŵp o'r enw .... Gellir rhannu hwn yn bedwar grŵp llai, sef cramenogion, ... , ... a ....

2 Pa grŵp o anifeiliaid sydd â'r canlynol:
a) troed gyhyrog?   c) 8 coes?
b) 6 choes?

3 Ar gyfer pob un o'r canlynol, dewiswch yr un sydd heb fod yn perthyn i'r lleill, gan roi rheswm dros eich ateb bob tro:
a) llygad y dydd, llyngyren ledog, môr-ddraenog, glöyn byw/pili pala.
b) pryf, corryn/pryf copyn, buwch goch gota, chwilen
c) malwoden, gwlithen, anemoni'r môr
ch) gelen, miltroed, mwydyn/pryf genwair

Pethau i'w gwneud

Pa hwyl? Elisabeth ydy fy enw i. Dydd Sadwrn diwethaf aeth Richard fy ffrind a minnau i'r Parc Bywyd Gwyllt. Fe welson ni lama yno gydag un bach. Roedd hi'n ddiwrnod poeth iawn i fod â chot mor flewog. Wedi hynny, fe welson ni fabŵn â'i deulu. Roedden nhw'n flewog iawn ac roedd y fam yn bwydo'r babi. Gwnaeth hyn i mi gofio bod mamolion yn rhoi llaeth i'w babanod. Mewn rhan arall o'r parc, fe welson ni sebra a chamelod.

Ar ôl inni eistedd i lawr a chael diod yn y caffi, cerddodd y ddau ohonom i'r adeilad lle roedd yr ymlusgiaid yn cael eu cadw. Yno, roedd madfall a nadroedd o lawer o wahanol wledydd. Fe gawson ni afael mewn neidr wasgu. Roedd croen y neidr yn sych gyda chen drosto i gyd.

Fe welson ni lyffaint a brogaod a salamandrau. Roedd ganddyn nhw groen llyfn, llaith. O'u blaen roedd label yn dweud eu bod yn amffibiaid.

Y tŷ adar oedd y lle nesaf i ni fynd i'w weld. Roedd yma adar prin iawn. Fe welson ni'r condor o Galiffornia a'r crëyr ubanol. Mae'r adar hyn mewn perygl oherwydd bod yr ardal lle maen nhw'n byw yn cael ei difetha. Roedd gan aderyn Paradwys blu hardd dros ben.

Roedd rhaid mynd i weld yr acwariwm cyn gadael. Roedd pob math o bysgod dŵr croyw a physgod môr yn y tanciau. Roedd tiwna yno, gwrachen y môr a brêm, yn ogystal â draenogyn dŵr croyw a gwrachen y baw. Croen gyda chen arno oedd gan bob un o'r rhain ac roedd ganddyn nhw esgyll er mwyn iddyn nhw allu nofio.

Ar y ffordd adref, bu Richard a minnau yn siarad am yr holl anifeiliaid roedden ni wedi eu gweld. Ar ôl cyrraedd adref, agorais fy llyfr Gwyddoniaeth ar y dudalen â'r teitl 'Fertebratau: anifeiliaid asgwrn-cefn'.

FERTEBRATAU : ANIFEILIAID ASGWRN - CEFN

MAMOLION
- Mae ganddyn nhw flew neu ffwr
- Yn bwydo eu babanod ar laeth
- Eu babanod yn cael eu geni'n fyw

ADAR
- Mae ganddyn nhw blu ac adenydd
- Mae'r rhan fwyaf yn gallu hedfan
- Yn dodwy wyau gyda phlisgyn caled

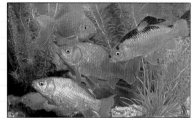

YMLUSGIAID
Croen sych gyda chen
Yn dodwy wyau gyda phlisgyn meddal

AMFFIBIAID
Croen llyfn, llaith
Yn bridio mewn dŵr

PYSGOD
Yn byw mewn dŵr drwy'r amser. Yn nofio gan ddefnyddio eu hesgyll. Yn anadlu trwy eu tagellau. Croen a chen arno.

➤ Copïwch y tabl hwn:

Mamolion	Adar	Ymlusgiaid	Amffibiaid	Pysgod
Lama				

Darllenwch y stori ac yna ysgrifennwch enw pob anifail sy'n cael ei enwi yn y golofn gywir o fewn y tabl.

➤ Ysgrifennwch 3 rheswm i egluro pam mae angen i fertebratau gael sgerbwd.

Mae'n ffaith!

Math cynnar o aderyn oedd yn byw 150 miliwn o flynyddoedd yn ôl oedd yr archeopterycs. Mae ffosilau'n dangos bod gan y creadur hwn blu (fel adar) a bod ganddo ddannedd (fel ymlusgiaid). Ceisiwch ddychmygu sut anifail oedd hwn a gwnewch lun ohono.

1 Copïwch a chwblhewch:
Mae pob fertebrat yn perthyn i un o bum prif grŵp. Mae .... yn byw yn y dŵr drwy'r amser, yn anadlu trwy ddefnyddio .... ac yn nofio gan ddefnyddio .... Mae .... yn byw ar y tir ac yn mynd i'r dŵr i .... Croen gyda chen arno sydd gan .... ac maen nhw'n byw ar y tir. .... yw'r unig grŵp o fertebratau sy'n gallu hedfan. I wneud hyn mae ganddyn nhw .... a .... Mae gan .... ffwr neu .... ac maen nhw'n bwydo'u babanod ar ....

2 I ba grŵp rydych chi eich hun yn perthyn? Rhowch resymau.

3 Ceisiwch roi 2 enghraifft o bob prif grŵp o fertebratau sy'n byw'n wyllt ym Mhrydain.

4 Mae'r pengwin a gwalch y pysgod yn edrych yn wahanol iawn.
Ysgrifennwch dri rheswm yn egluro pam mae gwyddonwyr yn credu eu bod yn perthyn i'r un grŵp.

Pethau i'w gwneud

5 Ym mha ffordd mae ymlusgiaid yn well am fyw ar y tir nac amffibiaid, yn eich barn chi?

Mae'r byd i gyd yn wyrdd

Beth yw planhigion? Rydych eisoes yn gwybod eu bod yn wahanol iawn i anifeiliaid. Mae'r ffaith eu bod yn gwneud eu bwyd eu hunain yn un gwahaniaeth.

Am y rheswm hwn, mae planhigion yn cael eu galw'n **gynyrchyddion** bwyd tra bo anifeiliaid yn **ysyddion** bwyd.

Yn union fel gydag anfeiliaid, gallwn rannu planhigion yn grwpiau er mwyn ei gwneud yn haws darganfod eu henwau.

POB PLANHIGYN			
Dim hadau		Yn cynnwys hadau	
Mwsoglau	**Rhedyn**	**Conwydd**	**Planhigion blodeuol**
Gwraidd gwan Dail tenau, gwan	Coesynnau, gwreiddiau a dail cryf	Dim blodau Yn cynhyrchu hadau mewn côn	Yn blodeuo Yn cynhyrchu hadau yn y ffrwyth

Mwsoglau

- Maen nhw'n byw mewn tir llaith.
- Mae ganddyn nhw ddail tenau sydd yn colli dŵr yn hawdd.
- Maen nhw'n creu **sborau** yn hytrach na hadau. Y gwynt sy'n cludo'r rhain. Mae sborau mwsogl yn tyfu'n blanhigion newydd.

➤ Edrychwch ar y ffotograff neu ar blanhigion mwsogl go iawn.

a Ble, yn eich barn chi, mae'r sborau'n cael eu creu?
b Pa mor drwm fydd y sborau? Rhowch resymau.
c Pam, yn eich barn chi, mae mwsogl i'w gael mewn tir llaith?

Rhedyn

- Mae ganddyn nhw goesynnau, gwreiddiau a dail cryf.
- Maen nhw'n gwneud sborau yn hytrach na hadau.
- Y tu mewn i'r planhigyn mae tiwbiau sy'n cludo dŵr o amgylch y planhigyn. Tiwbiau **sylem** yw'r enw ar y tiwbiau hyn.

➤ Edrychwch ar ddeilen rhedyn.

ch Ble, yn eich barn chi, mae'r sborau'n cael eu creu?
d Sut maen nhw'n cael eu hamddiffyn rhag y glaw?

Conwydd

- Mae llawer yn fythwyrdd â dail sy'n debyg i nodwyddau.
- Mae ganddyn nhw diwbiau sylem.
- Maen nhw'n cynhyrchu hadau mewn **conau**.

➤ Edrychwch ar gôn coeden binwydd. Fedrwch chi weld yr hadau sydd ynddo?

dd Awgrymwch sut mae'r hadau hyn yn symud o un lle i'r llall.

Planhigion blodeuol

- Maen nhw'n cynhyrchu blodau.
- Mae ganddyn nhw diwbiau sylem.
- Mae **hadau** yn cael eu creu yn y ffrwythau neu'r aeron.

➤ Ceisiwch dorri hadau ffa neu India Corn yn eu hanner .
Chwiliwch am **blanhigyn ifanc iawn** a'i **stôr o fwyd**
o fewn **hadgroen caled**.

e   Ysgrifennwch eich syniadau ynglŷn â beth yw pwrpas pob rhan.

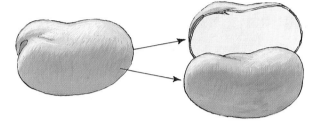

Mae'n ffaith!

Yng Ngogledd America mae planhigion mwyaf y byd yn tyfu. Mae'r coed coch anferth yno dros 100 metr o uchder.

Ymchwiliwch i faint o ddŵr sy'n cael ei golli trwy ddail

Ar y tir mae'r rhan fwyaf o blanhigion blodeuol yn byw. Mae eu dail yn aml yn colli dŵr, yn union fel byddwn ninnau'n colli dŵr trwy'r croen wrth chwysu.

Cynlluniwch ymchwiliad i ddarganfod pa fath o ddeilen sydd orau am gadw dŵr. Dewiswch 2 fath gwahanol o ddail.

Cofiwch fod rhaid i'r profion fod yn rhai teg.

Sut fyddwch yn cofnodi eich canlyniadau?

Dangoswch eich cynllun i'ch athro/athrawes.

Gwnewch yr ymchwiliad ac yna ysgrifennwch adroddiad.

1   Copïwch a chwblhewch y tabl canlynol:

Grŵp	Oes ganddyn nhw goesynnau, gwreiddiau a dail cryf?	Hadau neu sborau?	Blodau?
mwsoglau rhedyn conwydd planhigion blodeuol			

Pethau i'w gwneud

2   Ysgrifennwch rai enghreifftiau o blanhigion sydd wedi dod yn bwysig mewn cysylltiad â phob un o'r canlynol:
a)   bwyd
b)   tanwydd
c)   moddion
ch) defnyddiau adeiladu.

3   Dros dair miliwn o flynyddoedd yn ôl, yn ystod yr oes Garbonifferaidd, roedd coedwigoedd enfawr yn gorchuddio'r Ddaear. Roedd y planhigion yn debyg i'r rhai yn y ffotograff hwn. Roedd ganddyn nhw goesynnau, gwreiddiau a dail. Roedden nhw'n atgenhedlu trwy gyfrwng sborau. I ba grŵp o blanhigion mae'r planhigion hyn yn perthyn?

53

Beth yw cell?

Tua 300 mlynedd yn ôl, edrychodd Robert Hooke trwy ei ficrosgop ar haen denau o gorc. Fe welodd rywbeth oedd yn debyg i nifer o ystafelloedd bach. Galwodd y rhain yn **'gelloedd'**.

Gyda chymorth microsgop, gallwch chithau hefyd weld celloedd.

Mae popeth byw wedi'i wneud o gelloedd. Mae rhai pethau byw wedi'u gwneud o un gell yn unig, ond mae'r rhan fwyaf wedi'u gwneud o lawer o gelloedd.

Beth yw maint un gell?

➤ Edrychwch ar y ffotograff hwn o gelloedd boch wyneb person. Mae'r celloedd hyn tua 1000 gwaith yn fwy na'u gwir faint.

Cynlluniwch sut i ddarganfod beth yw maint un o'r celloedd hyn. Yna rhowch gynnig ar ddarganfod yr ateb.

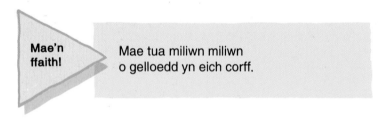

Mae'n ffaith!

Mae tua miliwn miliwn o gelloedd yn eich corff.

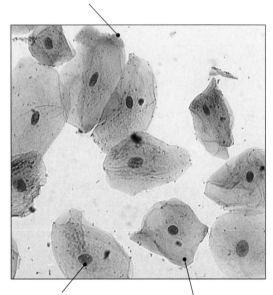

cellbilen: mae'n cynnwys y gell ac yn rheoli yr hyn sy'n mynd i mewn ac allan

cnewyllyn: yn rheoli'r gell ac yn cynnwys y cyfarwyddiadau i wneud rhagor o gelloedd

cytoplasm: yma mae adweithiau cemegol y gell yn digwydd. Y rhain sy'n cadw'r gell yn fyw

Edrych ar gelloedd planhigion

➤ Gwnewch sleid o ddarn tenau o groen nionyn.

Edrychwch arno trwy ficrosgop sydd ar bŵer isel. Beth welwch chi?

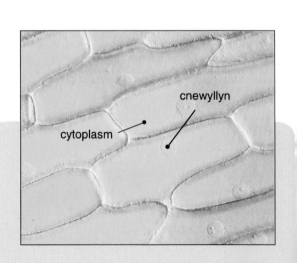

cnewyllyn

cytoplasm

Staeniau defnyddiol

Mae rhai rhannau o gell nionyn yn dryloyw. Nid yw'r rhain i'w gweld yn glir trwy ficrosgop.

Gallwch wneud i'r rhannau hyn fod yn fwy clir trwy roi ychydig ddiferion o staen ar y gell.

Cynlluniwch ymchwiliad i ddarganfod pa staen yw'r un gorau.

Dangoswch eich cynllun i'r athro/athrawes ac yna rhowch gynnig arno.

Y tu mewn i gell planhigyn

Mae celloedd y nionyn yn hollol wahanol i'r celloedd o foch wyneb person ar y tudalen gyferbyn.

Mae i bob cell planhigyn:
- siâp tebyg i focs
- **cellfur** trwchus o'i hamgylch i gadw'r gell gyda'i gilydd
- **gwagolyn** sy'n cynnwys toddiant dyfrllyd o'r enw **cellnodd**.

Ffurfiadau bychain yw **cloroplastau** ac maen nhw i'w cael mewn llawer o gelloedd planhigion. Eu gwaith yw dal egni golau yn ystod ffotosynthesis.

a Pam nad oes cloroplastau yng nghelloedd y nionyn?

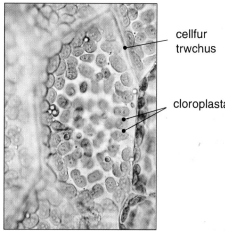

cellfur trwchus

cloroplastau

Edrych ar gloroplastau

➤ Gwnewch sleid o ddeilen fwsogl.

Edrychwch ar y celloedd trwy ficrosgop sy'n chwyddhau pethau. Allwch chi weld y cloroplastau?

Gwnewch lun mawr o 2 neu 3 cell. Labelwch y rhannau.

Celloedd arbennig

Mae llawer o gelloedd mewn planhigion ac anifeiliaid wedi newid eu siâp i wneud gwaith arbennig.

Edrychwch ar y celloedd hyn:

➤ Yn y tabl sydd gyferbyn mae siapiau'r celloedd a'r gwaith maen nhw'n ei wneud wedi'u cymysgu.

b Copïwch y tabl gan roi siâp a gwaith cywir pob cell.

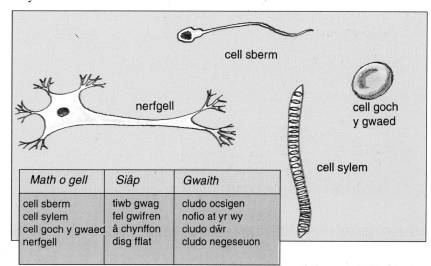

cell sberm

nerfgell

cell goch y gwaed

cell sylem

Math o gell	Siâp	Gwaith
cell sberm	tiwb gwag	cludo ocsigen
cell sylem	fel gwifren	nofio at yr wy
cell goch y gwaed	â chynffon	cludo dŵr
nerfgell	disg fflat	cludo negeseuon

1 Copïwch a chwblhewch y tabl canlynol:

	Cell boch (anifail)	Cell nionyn (planhigyn)	Cell mwsogl (planhigyn)
Oes ganddi gnewyllyn?			
Oes ganddi gellfur?			
Oes cloroplastau ynddi?			
Oes ganddi wagolyn?			

Pethau i'w gwneud

2 Ysgrifennwch beth mae pob un o'r rhannau canlynol o gelloedd yn ei wneud:
a) cloroplast
b) cellbilen
c) cellfur
ch) cnewyllyn.

3 Labelwch bob rhan o'r diagram mae'r athro/athrawes yn ei roi i chi o'r microsgop. Ydych chi'n cofio sut roeddech yn defnyddio'r microsgop? Ysgrifennwch beth yw pwrpas pob rhan o'r microsgop.

Rhoi trefn ar y corff!

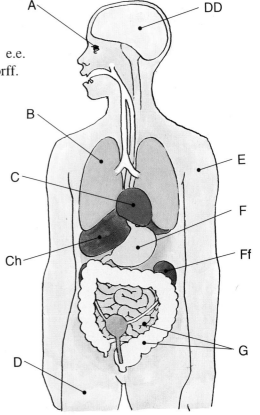

Ydych chi'n gwybod beth yw **organau**?

Rhannau o'r corff sy'n gwneud gwaith arbennig o fewn y corff ydyn nhw, e.e. mae'r arennau'n cael gwared o wastraff ac yn rheoli lefel y dŵr yn eich corff.

➤ Gwnewch restr o ragor o organau a dywedwch beth yw eu gwaith yn y corff.

Edrych ar organau

➤ Ysgrifennwch y llythrennau A i G. Edrychwch yn ofalus ar y diagram sydd gyferbyn a cheisiwch gyfateb pob llythyren gyda'r canlynol:

calon	llygad	ysgyfaint	stumog	braich
iau/afu	coluddyn	aren	ymennydd	coes

Gall gwahanol organau weithio gyda'i gilydd fel rhan o **system**, e.e. y stumog a'r coluddyn bach fel rhan o'r system dreulio.

Mae organau wedi eu ffurfio o **feinweoedd**, sydd yn eu tro wedi eu ffurfio o gelloedd tebyg sy'n gwneud yr un gwaith. Mae'r meinwe sydd yn eich cyhyrau wedi ei ffurfio o gelloedd cyhyr sydd yn union yr un fath â'i gilydd.

Defnyddiau adeiladu'r corff

Celloedd:
Y blociau adeiladu.

Meinwe:
Celloedd tebyg, yn gweithio gyda'i gilydd.

Organ:
Grwpiau o feinweoedd yn gweithio gyda'i gilydd.

System:
Grŵp o organau'n gweithio gyda'i gilydd.

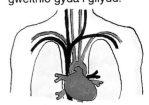

Mae celloedd cyhyr yn cyfangu ac yn llaesu.

Mae meinwe cyhyrol wedi ei ffurfio o gelloedd cyhyr, sy'n cyfangu ac yn llaesu gyda'i gilydd.

Meinwe cyhyrol yw eich calon. Mae'n pwmpio gwaed o amgylch eich corff.

Y galon a'r pibellau gwaed sy'n ffurfio'r system waed. Hon yw'r system sydd yn cludo gwaed o amgylch eich corff.

➤ Gwnewch restr o rai mathau o gelloedd sydd yn eich corff a dywedwch pa waith maen nhw'n ei wneud.

Mae'n ffaith!

Mae gan y rhan fwyaf o blanhigion ac anifeiliaid lawer o wahanol fathau o gelloedd – pob un yn gwneud ei waith ei hun. Mae dros 200 o wahanol fathau o gelloedd yn eich corff!

Y planhigyn prysur

Mae gan blanhigion gorff hefyd, ac maen nhw'n cynnwys gwahanol organau fel dail, blodau a gwreiddiau.

➤ Ysgrifennwch y llythrennau A i Dd. Edrychwch yn ofalus ar y diagram a cheisiwch gyfateb pob llythyren gyda'r canlynol:

gwreiddiau   deilen   ffrwyth   blodyn   blagur   coesyn

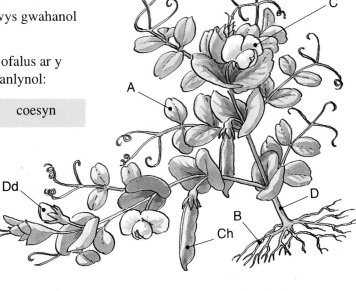

Ymchwiliad: Beth am y betys?

Organ o blanhigyn sy'n storio bwyd dros y gaeaf yw'r betys. Yn y gwanwyn, mae'r planhigyn newydd yn defnyddio'r bwyd hwn i dyfu. Mewn meinwe betys mae celloedd sy'n cynnwys lliwur coch. Os yw'r celloedd hyn yn cael eu rhoi mewn dŵr poeth, daw'r lliwur allan.

Sut mae cael y mwyaf o liw allan o ddarn bach o fetys?

Cynlluniwch eich ymchwiliad.

Penderfynwch pa offer fydd eu hangen arnoch, a sut fyddwch yn cadw cofnod o'ch canlyniadau.

Cofiwch fod rhaid i'r prawf fod yn un teg.

Dangoswch eich cynllun i'r athro/athrawes ac yna dechreuwch ar eich ymchwiliad.

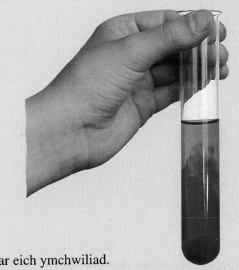

---

1 Copïwch a chwblhewch y canlynol:
Mae meinwe wedi ei wneud o .... sydd yn gwneud yr un .... Mae organ wedi ei ffurfio o grwpiau o .... sy'n gweithio gyda'i gilydd. Grŵp o organau sy'n cydweithio yw ....

2 Copïwch y rhestr o organau sydd ar y chwith. Yna ceisiwch gyfateb pob un gyda'r system gywir o'r rhestr ar y dde.

Ysgyfaint a phibell wynt   System waed
Calon a phibellau gwaed   System nerfol
Ymennydd a madruddyn y cefn   System resbiradol
Arennau a phledren   System dreulio
Stumog a choluddyn   System ysgarthu

3 Dychmygwch eich bod yn fath arbennig o organ yn y corff. Ysgrifennwch ddisgrifiad ohonoch eich hun ac eglurwch beth yw eich gwaith o fewn y corff. Peidiwch ag anghofio dweud pam mae eich gwaith mor bwysig.

4 Gyda rhai rhannau o'r corff mae'n bosibl rhoi organ newydd os yw'r un wreiddiol yn methu. Lluniwch restr o rannau artiffisial a rhannau, gredwch chi, allai gael eu trawsblannu.

Pethau i'w gwneud

1 Glaniodd ymwelydd o blaned arall ar y Ddaear.
Y peth cyntaf mae'n ei weld yw trên stêm yn mynd heibio.
Rhowch 2 reswm pam fyddai'r ymwelydd yn credu bod y trên yn fyw.
Rhowch 2 reswm pam mae'r ymwelydd yn anghywir.

2 Edrychwch ar y ffotograff hwn o anifail.
Ai fertebrat neu infertebrat yw'r anifail hwn?
I ba grŵp mae'n perthyn, yn eich barn chi?
Rhowch resymau dros eich ateb.

3 Gall celloedd wneud gwahanol fathau o waith.
Lluniwch gymeriad cartŵn o gell sy'n gwneud gwaith arbennig yn y corff.
Ysgrifennwch am yr hyn fyddai eich cell yn ei wneud mewn diwrnod cyffredin.

4 Ceisiwch roi ychydig o helogan mewn dŵr. Gallwch roi lliw neu inc yn y dŵr.
Gadewch iddo sefyll am rai oriau ac yna edrychwch i weld beth sydd wedi digwydd. Sylem yw'r llinellau lliw sydd i'w gweld.
Pa waith, gredwch chi, mae sylem yn ei wneud?
Pa blanhigion sydd yn cynnwys sylem a pha rhai sydd heb fod yn ei gynnwys?

5 Pwy ydw i?
a) Mae gen i 6 choes ac adenydd.
b) Mae gen i groen llyfn, llaith ac rydw i'n treulio rhan o'm hamser yn y dŵr.
c) Mae gen i gragen ac rydw i'n symud o gwmpas ar droed gyhyrog.
ch) Mae gen i blu ac adenydd. Dw i'n gallu hedfan.
d) Mae gen i 8 coes ond does gen i ddim adenydd.

6 Edrychwch yn ofalus ar y ffotograff hwn o gelloedd planhigyn. Faint o wahanol fathau o gelloedd sydd yma?
Disgrifiwch neu ddarluniwch pob cell wahanol.
Pam nad ydyn nhw'n edrych yr un fath?

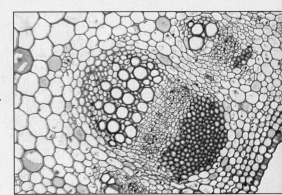

7 Wrth ddefnyddio microsgop:
a) pam na ddylech chi gyffwrdd wyneb y lens neu'r drych?
b) pam ddylech chi roi gorchudd dros yr hyn rydych am ei weld ar y sleid?
c) pam ddylech chi ddefnyddio pŵer isel yn gyntaf cyn troi at bŵer uchel?

Grymoedd

Mae eich bywyd yn llawn o wahanol fathau o rymoedd.

Mae angen grym i wneud popeth.
Rhaid cael grym i godi pensil.
Rhaid cael grym i droi tudalen.

Yn y ffotograff isod, mae'r plant yn cael eu tynnu i lawr y llithren gan rym disgyrchiant. Maen nhw'n cael eu harafu gan rym arall – sef grym ffrithiant.

Yn y bennod hon, byddwch yn ymchwilio i wahanol rymoedd, er mwyn darganfod beth maen nhw'n gallu ei wneud a sut i'w mesur.

Penawdau:
- 5a   *Defnyddio grymoedd*
- 5b   *Ffrithiant a grymoedd eraill*
- 5c   *Arnofio a suddo*
- 5ch   *Cymhwyso grymoedd*
- 5d   *Symud hi!*
- 5dd   *Raswyr bandiau rwber*

Defnyddio grymoedd

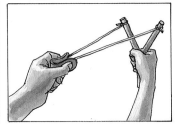

Mae pob un o'r bobl hyn yn defnyddio **grym**.

➤ Edrychwch ar y lluniau uchod a nodi pa rym sy'n cael ei ddefnyddio bob tro.

a Ysgrifennwch restr o eiriau sy'n disgrifio'r grymoedd yn y darluniau. Gallai'r gair *gwthio* fod yn addas ar gyfer y darlun cyntaf.

b Ysgrifennwch 5 peth wnaethoch chi heddiw oedd yn defnyddio grym. Pa gyhyrau roeddech yn eu defnyddio?

Mesuryddion grym

➤ Edrychwch ar ddiagramau 1 – 4. Mae'r mesuryddion hyn yn cael eu galw yn fesuryddion newtonau, neu'n gloriannau sbring.

Mae pob un yn mesur maint grym. Rydyn ni'n mesur maint grym mewn **newtonau** (sydd hefyd yn cael ei ysgrifennu fel **N**).

c Ysgrifennwch y grym cryfaf mae pob mesurydd yn gallu ei fesur.

ch Pa rym mae pob mesurydd yn ei ddangos yma?

d Mae'r afal yn tynnu i lawr â grym o'r enw **pwysau**. Beth yw pwysau'r afal?

Mae'r llyfr hwn yn pwyso tua 5 newton.

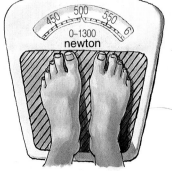

Mae'n ffaith!

Gall morgrugyn dynnu gyda grym o tua $\frac{1}{1000}$ newton, gall car wthio gyda grym o 5000 newton, ac fe all roced i'r lleuad weithredu grym o 30 miliwn N.

Mesur grymoedd

Mae'r tabl hwn yn dangos rhai gweithgareddau lle mae angen grym.

Copïwch y tabl.

Gan edrych ar bob un yn ei dro, ceisiwch *ragfynegi* pa mor fawr fydd y grym. Ysgrifennwch hyn.

Yna **mesurwch** y grym gyda mesurydd grymoedd. Gofalwch ddewis y math mwyaf addas o fesurydd.

	Grym mewn newtonau	
	Rhagfynegiad	Gwir
Codi bag	20 ?	
Tynnu stôl ar hyd y llawr		
Tynnu'r stôl yn gyflymach		
Pwyso gwresogydd Bunsen		
Ymestyn band rwber hyd at ddwbl ei hyd		
Agor drws		

Cryfder eich bys

Cynlluniwch ymchwiliad i ddarganfod cryfder cyhyrau bysedd gwahanol bobl.
Gallwch ddefnyddio clorian ystafell ymolchi i wneud hyn.

- Sut fyddwch yn gofalu bod y prawf yn un teg?
- Sut fyddwch yn cofnodi eich canlyniadau?

Gofynnwch i'r athro/athrawes wirio eich cynllun, ac yna ewch ati i wneud yr ymchwiliad.

Oes patrwm i'w weld yn eich canlyniadau?

1 Copïwch a chwblhewch:
Gall grymoedd wneud tri pheth. Gallant:
a) newid naill ai **maint** neu **siâp** gwrthrych (e.e. gwasgu sbwng)
b) newid buanedd gwrthrych ac felly gwneud iddo symud yn **gyflymach** (e.e. cicio pêl) neu wneud iddo symud .... (e.e. dal pêl)
c) newid **cyfeiriad** rhywbeth sy'n symud (e.e. pêl yn adlamu oddi ar ....).

2 Gwnewch fraslun o 3 o'r lluniau sydd ar ben y dudalen gyferbyn a rhowch saeth i ddangos ble, yn eich barn chi, mae'r grym yn gweithredu.
Er enghraifft:

3 Dychmygwch fod gennych bren mesur, band rwber, clip papur, edau gotwm ac ychydig o dâp gludiog (Sellotape).
Sut allech chi eu defnyddio i wneud eich mesurydd grymoedd eich hun?
Lluniwch ddiagram o'ch cynllun a'i labelu.

4 Cafodd y newton ei enwi ar ôl Syr Isaac Newton, gwyddonydd enwog iawn oedd yn byw 300 mlynedd yn ôl.

Ceisiwch ddod o hyd i ychydig o wybodaeth am Newton ac yna ysgrifennwch 2 baragraff amdano.

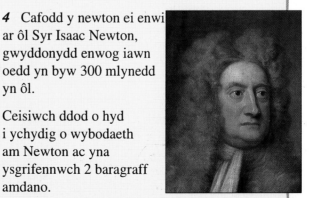

Pethau i'w gwneud

Ffrithiant a grymoedd eraill

Gall gwthio ychydig ar y llyfr hwn wneud iddo lithro ar hyd y ddesg. Ond pam mae'r llyfr yn stopio?

Mae'r llyfr yn cyffwrdd â'r bwrdd, a does yr un o'r ddau beth yn hollol lyfn. Pan fydd y ddau'n rhwbio yn erbyn ei gilydd mae grym **ffrithiant** yn arafu'r llyfr.

Gall ffrithiant fod yn ddefnyddiol.
Mae'n amhosibl cerdded oni bai bod ffrithiant rhwng eich esgidiau a'r llawr.

➤ Rhestrwch 3 enghraifft arall lle mae ffrithiant yn ddefnyddiol i ni.

Gall ffrithiant fod yn broblem.
Os oes gormod o ffrithiant mewn beic, yna mae'n anodd pedalu.

O ganlyniad i ffrithiant mae ychydig o egni eich corff yn cael ei ddefnyddio i gynhesu'r rhannau sy'n symud. Mae hyn yn debyg i rwbio eich dwylo er mwyn eu cadw'n gynnes (gweler tudalen 34).

Gallwch leihau ffrithiant trwy **iro**'r rhannau symudol ag olew neu saim.

➤ Edrychwch ar y ffotograff hwn o feic:
Copïwch y tabl gan gynnwys cymaint o enghreifftiau ag sy'n bosibl ym mhob colofn.

Grym *cyffwrdd* yw ffrithiant. Dim ond pan fydd dau beth yn cyffwrdd â'i gilydd y gall ddigwydd.

Gall grymoedd eraill weithredu dros bellter, heb i'r pethau gyffwrdd. Dyma 3 enghraifft:

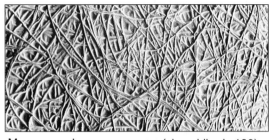

Mae arwyneb y papur yn arw (chwyddhad x100)

Reidio beic	
Mae eisiau ffrithiant	*Dim eisiau ffrithiant*
teiers ar y ffordd	

Pwysau
Math o rym yw **pwysau**. Tyniad **disgyrchiant** yw hwn.

Mae'r Ddaear yn tynnu i lawr ar yr afal, ac arnoch chwithau.

Rydych yn pwyso tua 500 newton (500 N).

Grym magnetig
Gall dau fagnet **atynnu** ei gilydd, neu gallan nhw **wrthyrru** ei gilydd. Mae hyn yn dibynnu ar eu **polau**.

Grym trydan
Pe byddech yn rhwbio crib sych a'i dal yn ymyl llif o ddŵr sy'n rhedeg o dap, fe welwch fod y dŵr yn plygu.

Mae'n cael ei dynnu gan rym trydan.

Ymchwilio i esgidiau

Edrychwch ar wadnau esgidiau eich grŵp.
Beth rydych yn sylwi arno?

Dyma rai pethau sy'n ei gwneud yn hawdd
neu'n anodd i esgid lithro:

a y math o wadn
b yr arwyneb mae'r esgid arno
c y pwysau sydd yn yr esgid.

Dewiswch **un** ohonyn nhw (**a**, **b** neu **c**).

*Yna ceisiwch ddarganfod sut mae ei newid
yn ei gwneud yn haws neu'n fwy anodd i'r
esgid lithro.*

- Beth fydd angen i chi ei newid, a beth fydd
  angen i chi ei fesur?
- Sut fyddwch yn gofalu bod y prawf
  yn un teg? Pa bethau (newidynnau)
  fydd angen i chi eu cadw yr un fath bob tro?
- Sut fyddwch yn cofnodi'r canlyniadau?

Gofynnwch i'ch athro/athrawes wirio eich
cynllun ac yna ewch ati i ymchwilio.

Beth rydych yn ei ddarganfod?

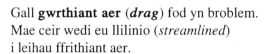

Gall **gwrthiant aer** (*drag*) fod yn broblem.
Mae ceir wedi eu llilinio (*streamlined*)
i leihau ffrithiant aer.

➤ Sut mae siâp y dolffin o gymorth iddo?

1 Copïwch a chwblhewch:
a) Math o .... sy'n arafu pethau pan fyddant
    yn rhwbio yn erbyn ei gilydd yw ffrithiant.
b) Gellir lleihau effaith ffrithiant trwy ...:.'r
    rhannau sy'n symud ag olew. Gellir
    lleihau gwrthiant aer trwy .... siâp car.
c) Mae pwysau yn .... . Effaith tyniad
    .... y Ddaear yw hyn.
ch) Mae .... magnetig a .... trydan yn ddau
    fath arall o rym.

2 Dychmygwch eich bod yn deffro yfory
ac yn darganfod nad oes ffrithiant yn eich
cartref o gwbl.
Ysgrifennwch 2 baragraff yn disgrifio beth
allai ddigwydd i chi.

3 Sut allech chi leihau effaith ffrithiant
ar feic?

4 Pam mae ffrithiant yn bwysig wrth
roi sylw i diogelwch ar y ffordd?
Beth allai ddigwydd os yw'r tywydd
a) yn wlyb b) yn rhewllyd?

5 Lluniwch dabl fel yr un isod:

Mae eisiau ffrithiant	Dim eisiau ffrithiant
dal pêl	nofio

Meddyliwch am wahanol chwaraeon, a
rhestrwch 5 enghraifft ym mhob colofn.

**Pethau
i'w gwneud**

Arnofio a suddo

Rydych yn gwybod bod rhai pethau yn **arnofio** ar ddŵr ac eraill yn **suddo**.

Mae'r diagram yn dangos rhai pethau sy'n arnofio a rhai sy'n suddo.

➤ Lluniwch dabl gyda 2 golofn a'r penawdau 'pethau sy'n arnofio' a 'pethau sy'n suddo'. Llanwch y tabl gan ddefnyddio'r diagram.

➤ I ba golofn, yn eich barn chi, mae'r rhain yn perthyn:
  • carreg?
  • papur?
  • sebon?

Arnofio yn nŵr hallt y Môr Marw yn Israel

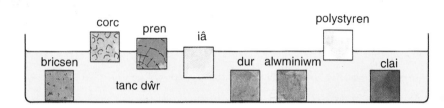

Pam mae rhai pethau'n arnofio ac eraill yn suddo?

Rhowch bwysyn (a fyddai'n suddo) ar fesurydd grymoedd (clorian sbring). Ysgrifennwch ddarlleniad y mesurydd. Dyma **bwysau**'r gwrthrych. Tyniad disgyrchiant y Ddaear yw hwn.

Rhowch eich bys o dan y pwysyn a'i godi ychydig. Beth sy'n digwydd i ddarlleniad y mesurydd?

Rhowch y pwysyn yn araf ac yn ofalus mewn bicer o ddŵr. Beth sy'n digwydd i ddarlleniad y mesurydd?

Copïwch y tabl a llenwi'r llinell gyntaf.

Gwnewch yr arbrawf eto gyda phwysyn a fyddai'n arnofio. Beth welwch chi?

Defnyddiwch ragor o bethau sy'n arnofio ac yn suddo.

Oes rheol sy'n wir am bopeth sy'n arnofio?

Enw'r eitem	Suddo neu arnofio?	Pwysau yn yr aer (N)	Pwysau yn y dŵr (N)	∴ Newid yn y pwysau (N)
1.				
2.				

Pan fydd gwrthrych yn cael ei ostwng i'r dŵr, mae'r dŵr yn gwthio i fyny arno. Enw'r grym hwn yw **brigwth**, hynny yw, gwthiad tuag at y brig.

Os yw'r gwrthrych yn arnofio, mae'r brigwth yn hafal i'r pwysau. Mae'r ddau rym yn cydbwyso ei gilydd. Maen nhw'n **rymoedd cytbwys**.

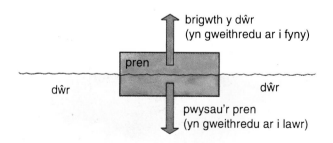

Balwnau a chychod

Mae cychod yn arnofio oherwydd y brigwth.

Os yw'r cwch yn pwyso 10 000 newton yna rhaid i'r dŵr roi brigwth o 10 000 newton.

Mae pa mor uchel neu isel mae cwch yn arnofio yn y dŵr yn dibynnu ar **ddwysedd** y dŵr.

Mae dŵr hallt yn llawer *mwy dwys* na dŵr croyw, felly mae cwch yn arnofio'n uwch mewn dŵr hallt nag mewn llyn o ddŵr croyw.

Gall balŵn hydrogen arnofio yn yr aer oherwydd bod yr aer yn gweithredu brigwth bychan arni.

Ymchwilio gyda chychod

Cynlluniwch ac adeiladwch gwch fydd yn gallu dal cymaint o bwysau ag sy'n bosibl.

Gallwch ddefnyddio:
naill ai   50 g o glai (sy'n pwyso hanner newton = 0.5 N)
neu   ddarn o bapur ffoil 10 cm × 10 cm.

Dylai eich cwch:
- arnofio
- fod yn sefydlog (peidio â throi drosodd)
- fod yn addas i gario llwyth.

Defnyddiwch ddarnau arian, clipiau papur, marblis neu bwysynnau bach fel llwyth.

Rhowch gynnig ar wahanol fathau o gychod. Gwnewch fraslun a chadwch gofnod.

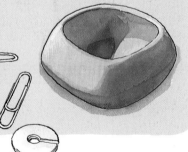

Sialens!   Cwch pwy sy'n dal y llwyth trymaf?

---

1 Copïwch a chwblhewch:
a) .... sy'n cael ei achosi gan dyniad .... yw pwysau.
b) Pan fydd gwrthrych yn cael ei roi mewn dŵr mae grym o'r enw .... yn gwthio i fyny arno.
c) Pan fydd gwrthrych yn arnofio, mae'r brigwth yn .... i bwysau'r gwrthrych. Mae'r ddau rym yn ....

2 Mae blocyn o ddur yn suddo mewn dŵr. Mae llong ddur yn arnofio. Eglurwch hyn.

3 Ar ochrau llongau mae marciau sy'n cael eu galw yn **llinellau Plimsoll**. Mae'r llinellau hyn yn dangos lefel arnofio'r cwch mewn gwahanol fathau o ddŵr.

Edrychwch ar y diagram hwn.

Pa farc (A neu B) sydd ar gyfer y canlynol:
a) dŵr croyw y llyn?
b) dŵr y môr?

Pethau i'w gwneud

Cymhwyso grymoedd

Liferi

Math o **beiriant** syml yw lifer. Gall wneud tasgau'n haws.

➤ Mae'r diagram yn dangos dau sbaner, sy'n cael eu defnyddio i droi nyten ar follt.

Pa sbaner yw'r un gorau ar gyfer datod nyten dynn iawn? Sut allech chi wneud y dasg yn haws fyth?

➤ Edrychwch ar y diagram o ddolen drws. Lifer yw hwn. Ai A, B neu C yw'r lle gorau i weithredu grym? (Rhowch gynnig ar wneud hyn os yw'n bosibl.)

➤ Cynlluniwch beiriant syml neu declyn allai helpu person oedrannus i droi dolen drws sydd yn dynn iawn. Lluniwch ddiagram a'i labelu.

Dyma lifer yn cael ei ddefnyddio i godi *llwyth* (y sach): Mae'r colyn (neu'r *ffwlcrwm*) yn agos at y sach. Mae'r ferch yn defnyddio grym *ymdrech* i droi'r lifer a chodi'r llwyth. Yma gall grym ymdrech bychan godi llwyth mawr. Mae'r lifer hwn felly yn **cynhyrchu grym mawr**.

Defnyddir liferi i **gynhyrchu symudiad mawr** weithiau hefyd. Mae bys mawr y cloc yn gwneud hyn. Yma mae symudiad bychan ger canol y cloc yn cynhyrchu symudiad mawr ym mlaen y bys. Mae liferi sy'n gwneud gwaith tebyg i hyn yn eich corff hefyd. Plygwch eich braich a meddwl am yr hyn sy'n digwydd.

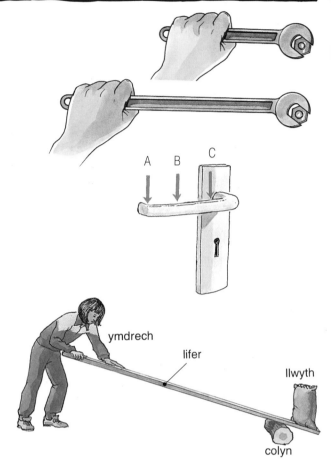

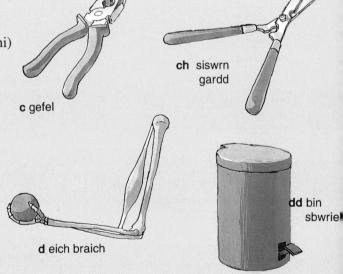

Dyma rai peiriannau cyffredin gyda liferi ynddyn nhw. Ar gyfer pob un o'r canlynol, ysgrifennwch:

- ble mae'r colyn
- ble mae'r grym ymdrech yn cael ei weithredu (gennych chi)
- ble mae'r llwyth
- ai cynhyrchu grym mawr neu gynhyrchu symudiad mawr sy'n digwydd yma.

a berfa

b agor tun o baent

c gefel

ch siswrn gardd

d eich braich

dd bin sbwriel

Pwlïau

Math arall o beiriant syml yw **pwli**.

Dyma ddwy system allai gael eu defnyddio ar safle adeiladu.

I beth mae systemau pwli yn ddefnyddiol?

Ymchwiliwch i'r ddwy system bwli hyn.

Gallwch ddefnyddio clamp i ddal y pwli uchaf. Gallwch ddefnyddio pwysynnau gyda hollt ynddyn nhw ar gyfer y llwyth a mesur y grym ymdrech gyda mesurydd grymoedd (clorian sbring).

Mesurwch yr ymdrech sydd ei hangen i godi gwahanol lwythi. Beth y sylwch arno?

Pa system bwli yw'r hawsaf i'w defnyddio?

Canu cloch

Mae'r diagram yn dangos cynllun ar gyfer cloch drws mewn hen gastell.

Pan dynnir ar y ddolen:

e Beth sy'n digwydd i'r rhaff las?

f Pa ffordd mae pwli A yn troi?

ff Pa ffordd mae lifer B yn symud?

g Pa ffordd mae'r rhaff goch yn symud?

ng Beth sy'n digwydd i'r gloch?

h Ydy lifer C yn cynhyrchu grym mawr neu yn cynhyrchu symudiad mawr?

i Fedrwch chi gynllunio system symlach? Lluniwch ddiagram ohoni.

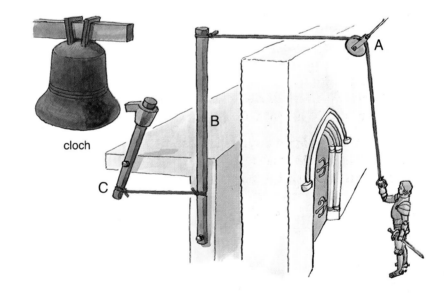

cloch

1 Copïwch a chwblhewch:

a) Mathau syml o .... yw liferi a phwlïau.

b) Mae gan bob lifer golyn neu .....

c) Gall lifer gynhyrchu .... neu gynhyrchu ....

2 Meddyliwch am y modd mae breichiau, bysedd, coesau, gên, etc. yn gallu symud. Gwnewch restr o'r liferi sydd yn eich corff. Lluniwch ddiagramau syml o dri o'r liferi hyn gan ddangos ble mae'r colyn.

3 Cynlluniwch handlen tap ar gyfer person oedrannus neu berson sâl.

4 Dychmygwch eich bod yn defnyddio sbaner i agor nyten sydd braidd yn dynn. Copïwch a chwblhewch y Diagram Trosglwyddo Egni hwn (gweler tudalen 34):

.... wedi'i storio yn fy nghorff

egni .... y nyten wrth iddi droi

.... yn cynhesu'r nyten (effaith ffrithiant)

5 Casgliad o nifer o beiriannau yw beic. Cynlluniwch ymchwiliad i weld ai cynhyrchu grym mawr neu gynhyrchu symudiad mawr sy'n digwydd wrth i'r pedalau gael eu troi.

Pethau i'w gwneud

Symud hi!

rhaid cael grym gwthio i ddechrau symud

Rhaid cael **grym** i symud pethau. Cafodd hyn ei egluro yng ngwers 5a (gweler tudalen 61).

➤ Edrychwch ar y cartŵn:

a Pa un sydd angen y grym mwyaf i ddechrau symud – y dyn trwm neu'r ferch fach?

Dychmygwch nawr fod y ddwy sled yn symud ar draws yr iâ, ar yr un buanedd.

b Pa un sydd angen y grym mwyaf i'w stopio?

Fel arfer mae gwrthrychau'n arafu ac yn stopio o ganlyniad i ffrithiant (gweler tudalen 62).

c Beth sy'n digwydd i'r sled os oes ychydig o ffrithiant yn unig?

ch Beth fyddai'n digwydd iddi heb ffrithiant o gwbl?

Mewn diagramau rydyn ni'n defnyddio saethau i ddangos grymoedd. Po fwyaf yw'r grym, yr hiraf yw'r saeth.

➤ Edrychwch ar y diagram. Mae'n dangos llyfr yn cael ei wthio ar draws bwrdd.

d Pa un yw'r grym mwyaf: gwthiad y bys neu rym ffrithiant?

dd Ydy'r llyfr yn symud? Pam?

e Faint yw'r grym gwthio mewn newtonau? (Defnyddiwch eich pren mesur i'w fesur.)

f Faint yw grym ffrithiant?

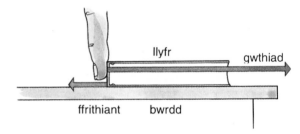

graddfa: 1 cm i 1 newton

Mae grym ffrithiant yn canslo rhan o'r grym gwthio. Yr hyn sydd ar ôl yw'r grym **cydeffaith** (*resultant force*).

ff Faint yw'r grym cydeffaith hwn?

g Faint fyddai'r grym cydeffaith pe byddai'r grym gwthio yn 3 newton a grym ffrithiant yn 2 newton?

Grym cydeffaith sy'n symud y llyfr.
Po fwyaf yw'r grym cydeffaith, y cyflymaf mae'r llyfr yn symud.

➤ Lluniwch ddiagram o'r llyfr i ddangos grym gwthio o 2 newton a grym ffrithiant o 2 newton.

ng Faint yw'r grym cydeffaith?

h Ydy'r llyfr yn symud neu'n aros yn llonydd?

Dyma ddeddf Isaac Newton am y syniadau hyn. Os **nad** oes grym cydeffaith yn gweithredu ar wrthrych yna,
• os yw'n llonydd, bydd yn aros yn llonydd
• os yw'n symud, bydd yn parhau i symud ar fuanedd cyson mewn llinell syth.

Ymchwilio i symudiad

Gadewch i gar bychan (neu degan arall) fynd i lawr llethr:

Cynlluniwch ymchwiliad i weld sut mae'r **pellter a deithiodd** y car yn dibynnu ar yr **uchder** mae'n cychwyn ohono.

Awgrymwch beth fydd yn digwydd. Ysgrifennwch eich *rhagfynegiad*.

- Gwnewch restr o'r pethau fydd yn aros yr un fath, er mwyn ei wneud yn brawf teg.
- O ble fyddwch yn mesur y pellter?
- Sawl gwaith fyddwch yn ail-wneud yr arbrawf ar bob uchder?
- Sut fyddwch yn cofnodi eich canlyniadau?

Dangoswch eich cynllun i'ch athro/athrawes, ac yna rhowch gynnig arno.

Beth rydych yn ei ddarganfod? Ydy hyn yn cytuno â'ch rhagfynegiad?

Atebwch y cwestiynau canlynol. Ceisiwch gynnwys ychydig o eiriau o'r bocs gyferbyn yn eich atebion.

i   Pam mae'r car yn symud i lawr y llethr?

j   Pam mae'r car yn arafu ac yn stopio?

l   Beth yw'r enw ar yr egni sydd gan y car ar ben uchaf y llethr?

ll O ble daeth yr egni hwn?

m   Beth yw enw'r egni sydd gan y car ar waelod y llethr?

pwysau	tyniad disgyrchiant
grym cydeffaith	ffrithiant
egni potensial	egni cinetig

---

1 Copïwch a chwblhewch:
a) Gall .... nag un grym weithredu ar wrthrych.
b) Os nad oes .... cydeffaith ar y gwrthrych, ... yw ei fudiant yn newid.
c) Yn ôl deddf Newton: os nad oes grym .... yn gweithredu ar wrthrych, yna
   - os yw'n llonydd, mae'n aros yn .... (nid yw'n ....).
   - os yw'n symud, yna mae'n parhau i .... ar fuanedd .... mewn llinell ....

2 Defnyddiwch raddfa 1 cm i 1 newton i lunio diagramau grym ar gyfer:
a) llyfr sy'n cael ei wthio gan rym o 6 N yn erbyn grym ffrithiant o 2 N
b) cwch tegan sy'n pwyso 4 N yn arnofio ar ddŵr (gweler y diagram ar dudalen 64).

3 Edrychwch ar y dudalen nesaf a chasglwch boteli neu duniau addas ar gyfer y wers nesaf.

Pethau i'w gwneud

Raswyr bandiau rwber

➤ Edrychwch ar y diagramau canlynol.
Dewiswch **un** ohonyn nhw ac yna ei wneud.

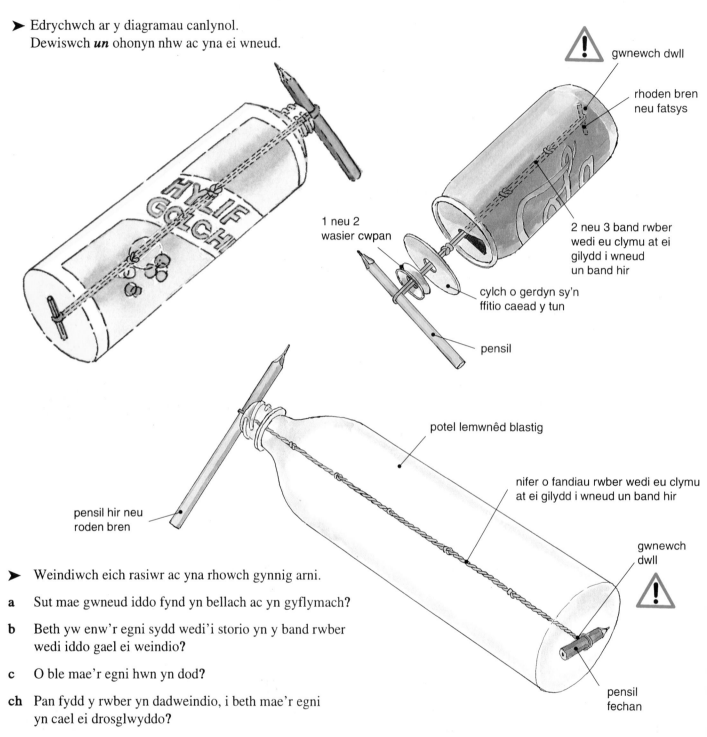

gwnewch dwll

rhoden bren neu fatsys

1 neu 2 wasier cwpan

2 neu 3 band rwber wedi eu clymu at ei gilydd i wneud un band hir

cylch o gerdyn sy'n ffitio caead y tun

pensil

potel lemwnêd blastig

nifer o fandiau rwber wedi eu clymu at ei gilydd i wneud un band hir

gwnewch dwll

pensil fechan

pensil hir neu roden bren

➤ Weindiwch eich rasiwr ac yna rhowch gynnig arni.

a Sut mae gwneud iddo fynd yn bellach ac yn gyflymach?

b Beth yw enw'r egni sydd wedi'i storio yn y band rwber wedi iddo gael ei weindio?

c O ble mae'r egni hwn yn dod?

ch Pan fydd y rwber yn dadweindio, i beth mae'r egni yn cael ei drosglwyddo?

d Os ydych yn gorweindio'r band rwber, bydd eich rasiwr yn llithro ac yn sglefrio dros y llawr. Sut allwch chi gynyddu'r ffrithiant ac atal y 'troelli'?

dd Ble ar eich rasiwr rydych am i'r ffrithiant fod mor fach ag sy'n bosibl? Sut allwch chi wneud hyn?

Defnyddio'r rasiwr mewn ymchwiliadau

➤ Dewiswch **un** o'r ymchwiliadau hyn.

Cynlluniwch yr ymchwiliad yn ofalus (gweler tudalen 18).
Gofalwch fod y prawf yn un teg.
Pan fyddwch wedi gorffen cynllunio, ewch ati i wneud yr ymchwiliad.

1 Ymchwiliwch sut i wneud i'r rasiwr deithio mewn llinell syth.

Rasiwr pwy sy'n gallu teithio 3 metr mewn llinell syth yn yr amser byrraf?

2 Ymchwiliwch sut mae eich rasiwr yn teithio i fyny llethr. Pa mor serth allwch chi wneud y llethr?

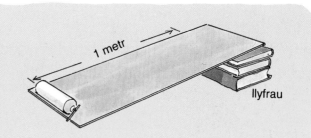

1 metr

llyfrau

Rasiwr pwy sy'n gallu teithio 1 metr i fyny'r llethr mwyaf serth?

3 Ymchwiliwch sut mae buanedd y rasiwr yn dibynnu ar sawl gwaith rydych yn weindio'r band rwber.

$$\text{buanedd cyfartalog} = \frac{\text{pellter teithio}}{\text{amser a gymerwyd}}$$

Bydd arnoch angen stopgloc.
Gallwch ddefnyddio'r fformwla sydd yn y bocs.

➤ Lluniwch adroddiad ar yr hyn wnaethoch a'r hyn gafodd ei
ddarganfod. Gall fod yn adroddiad wedi ei ysgrifennu neu yn boster.

➤ Os bydd gennych amser wrth gefn, gallech wneud un arall o'r ymchwiliadau hyn.

1 Lluniwch fraslun o'ch rasiwr gan labelu'r rhannau pwysicaf.
Sut allech chi newid y cynllun er mwyn iddo symud yn gyflymach?

2 Eglurwch sut mae eich rasiwr yn gweithio, a sut mae'n storio egni.
Defnyddiwch y geiriau canlynol wrth egluro:

bwyd   egni potensial   egni straen
egni cinetig   ffrithiant   lifer   grym cydeffaith

3 Copïwch a chwblhewch y Diagram Trosglwyddo Egni ar gyfer eich rasiwr (gweler hefyd dudalen 34):

.... wedi'i storio yn eich corff

.... a storiwyd yn y band rwber wedi'i weindio

egni .... y rasiwr

.... yn cynhesu'r ystafell

Pethau i'w gwneud

Cwestiynau

glas y dorlan

1 Mae llilinio yn lleihau ffrithiant.
Rhowch 3 enghraifft o hyn mewn anifeiliaid, ac eglurwch sut mae
o gymorth i'r anifeiliaid hynny.

2 Sut mae effaith ffrithiant yn cael ei lleihau mewn:
a) llong hofran?
b) car rasio?
c) llong hwylio?

3 Mae'r tabl yn dangos pellteroedd brecio car
sydd yn teithio ar fuanedd o 15 metr yr eiliad
(33 milltir yr awr):
a) Lluniwch siart bar o'r data, a'i labelu.
b) Pa gyfuniad o deiers ac arwyneb ffordd yw'r
gorau ar gyfer stopio'n gyflym?
Beth yw'r pellter brecio yn yr achos hwn?
c) Beth yw'r cyfuniad gwaethaf?
Faint gwaeth yw hyn na'r cyfuniad gorau?
ch) Pam ei bod yn anoddach stopio ar ffyrdd gwlyb nag ar ffyrdd sych?

Pellteroedd brecio		
Ffordd sych	teiers newydd	13 metr
	hen deiers	14 metr
Ffordd wlyb	teiers newydd	18 metr
	hen deiers	23 metr

4 Cynlluniwch ymchwiliad i gymharu'r breciau ar wahanol feiciau.
Gofalwch fod y prawf yn un **teg**.
Sut mae gofalu bod y prawf yn un **diogel**?
Pa fesuriadau fyddai angen i chi eu gwneud?
(Peidiwch â gwneud yr ymchwiliad hwn heb oedolyn
wrth law.)

5 Cynlluniwch ymchwiliad i fodel bach o long hwylio.
Penderfynwch beth i ymchwilio iddo, a sut i ofalu
bod y prawf yn un teg.
Pa nodweddion fyddai'n gwneud cynllun y llong yn
un da?

6 Cynlluniwch beiriant i helpu person sy'n ei chael hi'n anodd i
blygu ei gefn i godi pethau oddi ar y llawr.

7 Edrychwch ar y ffotograff sydd ar dudalen 59.
Cynlluniwch eich llithren eich hun.
Lluniwch ddiagram ohoni, a'i labelu, gan gynnwys
nodweddion diogelwch.
Ble ddylai'r ffrithiant fod:
a) yn fach   b) yn fawr?

8 Ysgrifennwch restr wirio diogelwch **naill ai** ar gyfer pram
neu ar gyfer beic. Dylai ddangos yr hyn ddylid ei
wirio er mwyn gofalu bod y pram neu'r beic yn ddiogel
i'w ddefnyddio.

Asidau ac alcalïau

Ydych chi wedi clywed am asidau ac alcalïau?
Beth wyddoch chi amdanyn nhw?

Mae'r rhain yn bethau pwysig iawn yn ein bywyd bob dydd. Maen nhw'n cael eu defnyddio i wneud dillad, paent, sebon, gwrtaith, moddion a llawer o bethau eraill.

Mae asidau ac alcalïau yn eich corff. Mae mur eich stumog yn creu asid. Os bydd gormod o asid, gall fod yn broblem. Yn y bennod hon, byddwch yn gweld sut mae datrys y broblem honno.

Cewch gyfle i feddwl am gyfrinach y planhigyn seithliw'r enfys (*hydrangea*). Sut allech chi dyfu blodau glas eleni a rhai pinc ar yr un planhigyn y flwyddyn nesaf?

Penawdau:	6a	*Asid neu alcali?*
	6b	*Pa mor gryf?*
	6c	*Mater o gydbwyso*
	6ch	*Mae pH yn ddefnyddiol*

Asid neu alcali?

➤ Ysgrifennwch 5 gair sy'n dod i'ch meddwl wrth glywed y gair **asid**.

➤ Beth, gredwch chi, yw asid? Gallech ddefnyddio rhai o'r 5 gair hyn yn eich brawddegau. Rydw i'n meddwl fod asid yn ....

Mae pob un o'r rhain yn cynnwys asid

Mae pob un o'r rhain yn cynnwys alcali

➤ Meddyliwch am enghreifftiau o bethau sy'n groes i'w gilydd, e.e. bach/mawr.

Mae **asidau** ac **alcalïau** yn *gemegol* groes i'w gilydd.

Defnyddir **dangosyddion** i ddangos pa bethau sy'n asidau a pha bethau sy'n alcalïau.

Ydych chi wedi defnyddio dangosydd **litmws** o gwbl? Gall fod yn bapur litmws neu yn hylif. Lliwur porffor ydyw ac mae'n troi'n *goch* mewn asid ac yn *las* mewn alcali.

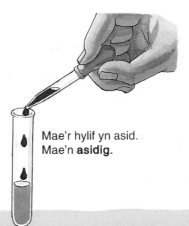

Mae'r hylif yn asid. Mae'n **asidig**.

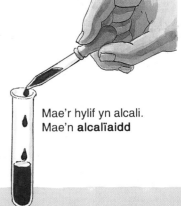

Mae'r hylif yn alcali. Mae'n **alcalïaidd**

Gwneud eich dangosyddion eich hun

Mae aeron lliwgar, petalau blodau a llysiau yn gwneud dangosyddion da.

Edrychwch ar y lluniau i weld sut i wneud eich dangosyddion eich hun.

darnau o blanhigion

pestl

morter

Malwch y darnau o blanhigion.

gwirod methyl

fflamadwy

Ychwanegwch ychydig o wirod methyl.

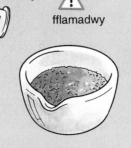

Daliwch i falu hyd nes bydd y lliw wedi dod allan.

Defnyddiwch biped i roi'r hylif mewn tiwb profi.

Gallwch ddefnyddio'r dull hwn i wneud dangosyddion ar gyfer eich ymchwiliad nesaf.

74

Pa ddangosydd yw'r gorau?

Gan weithio mewn grwpiau, trafodwch beth sy'n gwneud dangosydd da.

Gwnewch restr o'ch syniadau.

Defnyddiwch y syniadau hyn i weld pa betalau, aeron neu ffrwythau sy'n gwneud y dangosydd gorau. Cofiwch fod angen i'r profion fod yn rhai teg.

Defnyddiwch y dull sydd ar y dudalen gyferbyn i wneud eich dangosyddion eich hun.

Wedi i chi wneud eich dangosyddion, gallwch ofyn i'ch athro/athrawes am asidau ac alcalïau er mwyn i chi gael cynnal profion.

Ysgrifennwch adroddiad am yr hyn wnaethoch.

Pa un oedd y dangosydd gorau?

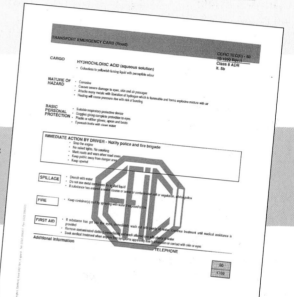

ADRODDIAD

Beth wnaethon ni

Beth ddarganfuon ni

Y _____

oedd y dangosydd gorau oherwydd

Mae'n ffaith!

Rhaid i bobl sy'n cludo llwythi o asidau ac alcalïau gario cardiau **Tremcard**. Saif hyn am *Transport Emergency Cards*. Mae'r cardiau hyn yn dweud wrth y gyrrwr beth i'w wneud mewn argyfwng.

1 Copïwch y brawddegau isod yn eich llyfr gan lenwi'r bylchau.
Mae .... yn gemegol groes i asidau.
Bydd dangosyddion yn un .... mewn asidau ac yn .... arall mewn alcalïau.
Mae litmws yn ddangosydd defnyddiol.
Mae'n troi'n goch mewn ....

2 Beth sy'n gyffredin i'r alcalïau sydd yn y llun ar y dudalen gyferbyn?

3 Pan fydd asid hydroclorig gwanedig yn cael ei golli, cyfarwyddiadau'r *Tremcard* yw: "Golchwch gyda dŵr." "Os yw'r asid wedi mynd i mewn i'r system garthffosiaeth, rhaid dweud wrth yr heddlu."
Pam, yn eich barn chi, mae'r *Tremcard* yn dweud hyn?

4 Enwch y cyfarpar isod:

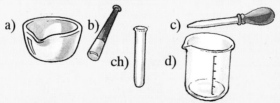

a) b) c) ch) d)

I beth mae a) a b) yn cael eu defnyddio?

5 Ysgrifennwch resymau dros y canlynol:
a) bod rhybudd ar boteli asid hydroclorig
b) nad oes rhybudd ar boteli sudd lemwn
c) bod asidau fel arfer yn cael eu cadw mewn poteli gwydr ac nid mewn cynwysyddion metel.

6 Meddyliwch am y gwaith ymarferol wnaethoch yn y wers heddiw. Gwnewch restr o'r pethau wnaethoch yn dda, a rhestr o'r pethau nad oedd cystal. Ysgrifennwch 2 beth y gallech eu gwella y tro nesaf.

Pethau i'w gwneud

Pa mor gryf?

➤ Datryswch y cod i ddarganfod pa waith sydd i'w wneud heddiw!
  (Cofiwch mai un llythyren yw 'ng')

* Llythyren gyntaf — Sylwedd sy'n troi litmws yn goch.
* Llythyren olaf — Mae'n rhedeg o'r tap.
* Llythyren gyntaf — Rydych yn golchi eich dwylo gyda hwn.
* Chweched llythyren — Mae'n dangos ai asid neu alcali yw'r sylwedd.
* Llythyren gyntaf — Asid rydych yn ei roi ar grempog.
* Ail lythyren — Cedwir asid mewn poteli o'r defnydd hwn.
* Llythyren olaf — Sylwedd sy'n troi litmws yn las.

Gallwch ddefnyddio dangosyddion i brofi am asid neu alcali.

Mae **dangosydd pH** yn gymysgedd o nifer o ddangosyddion. Mae'n ddefnyddiol iawn am ei fod yn dangos pa mor gryf neu wan yw'r asid neu'r alcali. Mae'n bosibl cael dangosydd pH sydd ar ffurf hylif neu ar ffurf papur.

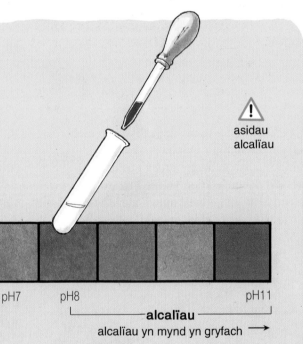

Bydd eich athro/athrawes yn rhoi toddiannau i chi eu profi.

Rhowch un o'r toddiannau mewn tiwb profi (ei lenwi at ei chwarter).

Ychwanegwch ychydig ddiferion o ddangosydd pH. Ysgydwch y tiwb yn ofalus. Beth welwch chi?

⚠ asidau alcalïau

Defnyddiwch y siart i ddarganfod **rhif pH** y toddiant.

| pH1 | | | | | | pH6 | pH7 | pH8 | | | pH11 |

└──────────── **asidau** ────────────┘   └──────── **alcalïau** ────────┘
← asidau yn mynd yn gryfach   alcalïau yn mynd yn gryfach →

Defnyddiwch y dangosydd pH i brofi'r toddiannau eraill.
Ysgrifennwch y *lliw* a'r *rhif pH* bob tro.
Cofnodwch ai toddiant asid neu alcali yw'r un sydd gennych.

Pa un yw'r asid cryfaf?
Pa un yw'r alcali cryfaf?

Sylwedd	Lliw	pH	Asid neu alcali?

Glaw asid

Glywsoch chi am broblem *glaw asid*? Pan fydd tanwydd yn llosgi, mae'n creu nwyon sy'n symud i'r aer. Asidau yw cynnwys y nwyon hyn – maen nhw'n asidig. Mae'r nwyon yn toddi mewn dŵr yn y cymylau. Pan fydd yn glawio, daw'r asidau yn ôl i'r Ddaear. Gall glaw asid wneud difrod i adeiladau a choed.

Effaith glaw asid ar waith carreg

Effaith glaw asid ar goed

Gwnewch yr ymchwiliad hwn i ddarganfod effaith glaw asid ar waith carreg.

Ychwanegwch rai diferion o asid at galchfaen wedi'i falu.
Ysgrifennwch am yr hyn welwch chi.
Beth fyddai'n digwydd wrth ddefnyddio asid gwannach?
Ysgrifennwch am yr hyn fyddech yn disgwyl ei weld.
Rhowch gynnig arni nawr gydag asid gwannach.
A ddigwyddodd yr hyn roeddech yn ei ddisgwyl?
Ai asid gwan neu asid cryf yw glaw asid?

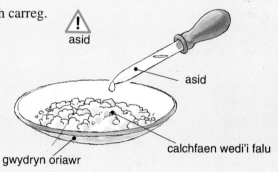

asid

asid

gwydryn oriawr

calchfaen wedi'i falu

1 Cyfatebwch y rhifau pH â'r geiriau cywir.

pH6   asid cryf
pH1   alcali cryf
pH11   asid gwan
pH8   alcali gwan

2 Copïwch a chwblhewch y frawddeg hon. Mae dangosydd pH yn fwy defnyddiol na litmws am ei fod ....

3 Atebwch y canlynol ynglŷn â glaw asid.
a) Edrychwch ar y ffotograff ar ben y dudalen a disgrifiwch effaith glaw asid ar goed.
b) Ysgrifennwch 3 ffordd allai pobl wneud llai o law asid.
c) Edrychwch ar eich ateb i b). Lluniwch boster i ddweud wrth bobl am hyn.

4 Mae Non yn credu bod llaeth sy'n cael ei adael allan o'r oergell am amser hir yn mynd yn fwy asidig. Ydy Non yn gywir? Cynlluniwch ymchwiliad i brofi syniad Non.

Pethau i'w gwneud

5 Sut allech chi ddefnyddio'r prawf asid a chalchfaen wedi'i falu i roi 4 asid mewn trefn yn ôl eu cryfder?

Mater o gydbwyso

➤ Edrychwch eto ar y siart pH ar dudalen 76. Beth yw rhif pH toddiant sydd heb fod yn alcali nac yn asid?

a Pa liw yw'r dangosydd pH yn y toddiant hwn?

Toddiannau **niwtral** yw'r rhai sydd heb fod yn asidau nac yn alcalïau.

Mae'n bosibl gwneud toddiannau niwtral trwy gymysgu asidau ac alcalïau gyda'i gilydd. Mae'r asid a'r alcali yn cydbwyso ei gilydd.

ASID + ALCALI → TODDIANT NIWTRAL

➤ Copïwch y diagramau isod yn eich llyfr. Mae'r 3 label ar goll. Dewiswch y labeli cywir o'r rhestrau er mwyn cwblhau'r diagramau.

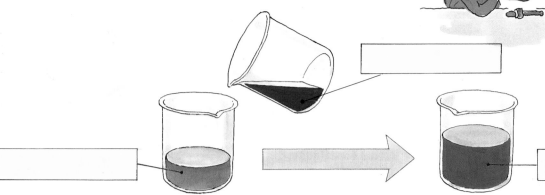

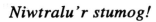

- bicer
- asid
- asid a dangosydd
- alcali

- toddiant niwtral a dangosydd
- dangosydd
- toddiant niwtral
- alcali a dangosydd

Niwtralu'r stumog!

Oeddech chi'n gwybod bod eich stumog yn cynnwys asid?

Ydych chi erioed wedi cael poen yn eich stumog? Gall hyn ddigwydd ambell waith oherwydd bod eich stumog yn creu gormod o asid.

Gallwch ddefnyddio tabledi neu bowdr arbennig i 'setlo' eich stumog.

Ai asid, alcali neu niwtral yw natur y tabledi neu'r powdrau hyn? Pam?

➤ Ydych chi wedi gweld hysbysebion am bethau sy'n gwella poen stumog? Ysgrifennwch enwau rhai ohonyn nhw.

Cwmni Gofal Iechyd

Fe ofalwn ni am eich iechyd chi

MEMO AT: Y Swyddog Dadansoddi   ODDI WRTH: Clwyd Williams

Mae'r cwmni hwn yn arbrofi gyda thri math o bowdr stumog sef A, B ac C, er mwyn gweld a ydynt yn niwtralu asid yn y stumog.

Tybed a fyddech mor garedig â gwneud rhai o'r profion hyn er mwyn i mi gael gwybod faint o bob powdr sydd ei angen i niwtralu asid yn y stumog? Gofalwch fod eich profion yn rhai teg, a cheisiwch fod mor fanwl gywir ag sy'n bosibl.

Yn ôl ein profion cyntaf, ni fydd un powdr yn gweithio o gwbl. A fyddech cystal â phrofi hyn, os gwelwch yn dda? Hoffwn gael adroddiad ar y canlynol:

(a)   sut y cafodd y profion eu cynnal

(b)   eich canlyniadau

(c)   pa bowdr yw'r un gorau am niwtralu asid yn y stumog.

Mae hwn yn fater brys!

Gyda diolch.

Mae'n ffaith!

Gall y bacteria yn eich ceg newid bwyd melys yn asid. Os yw'r asid yn aros yn eich ceg am amser hir gall effeithio ar eich dannedd. Mae hyn yn achosi pydredd dannedd. Gan fod alcali gwan mewn past dannedd, mae'n niwtralu'r asid sydd yn y geg.

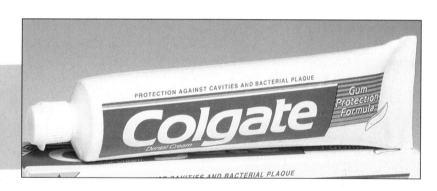

PROTECTION AGAINST CAVITIES AND BACTERIAL PLAQUE

Colgate

Dental Cream

Gum Protection Formula

Pethau i'w gwneud

1   Copïwch a chwblhewch:

Mae sylwedd sydd â gwerth pH o 4 yn ....
Os yw .... gwan yn cael ei ychwanegu ato, gall y toddiant droi yn niwtral ac mae iddo werth pH o ....

2   Gall asid achosi pydredd dannedd! Cynlluniwch bamffled i ddweud wrth blant mor bwysig yw glanhau dannedd yn gyson.

3   Yn y gwersi diwethaf, buoch yn defnyddio nifer o wahanol fathau o ddangosyddion – litmws, dangosydd pH a rhai wnaethoch eich hunan o betalau, aeron neu lysiau. Pam mai dangosydd pH yw'r un gorau wrth niwtralu asidau neu alcalïau?

4   Ceisiwch gael gwybodaeth am foddion i drin asid yn y stumog a diffyg treuliad.

a)   Gwnewch restr o'u cynhwysion.

b)   Oes cemegion sydd ynddyn nhw i gyd? Os oes, rhowch eu henwau.

c)   Rhestrwch enwau'r moddion mewn tabl fel hyn.

Tabled	Powdr	Hylif

ch)   Mae'n bosibl gwerthu moddion fel tabledi, fel powdr neu fel hylif. Ysgrifennwch beth yw manteision pob un o'r ffurfiau hyn, yn eich barn chi.

d)   Pa bethau eraill fyddech chi'n eu hystyried cyn dewis moddion i wella diffyg treuliad?

79

Mae pH yn ddefnyddiol

pH yn yr ardd

Mae gwerth pH pridd yn bwysig iawn. Mae rhai planhigion yn tyfu'n dda mewn pridd asidig, ond mae eraill sy'n tyfu'n well mewn pridd niwtral neu alcalïaidd.

Mae angen i arddwyr neu ffermwyr wybod beth yw pH eu tir, oherwydd gall y pridd fynd yn rhy asidig ar brydiau. Gall hyn rwystro'r planhigion rhag tyfu'n dda. Er mwyn newid pH y pridd, gall y ffermwr ychwanegu calch (sydd yn alcali) at y pridd.

Mae'n ffaith!

Os ydych am wybod beth yw natur eich pridd, gallwch brynu offer profi pH mewn canolfannau garddio.

Profi'r pridd

Bydd eich athro/athrawes yn rhoi gwahanol fathau o bridd i chi eu profi.

Rhowch 2 lond sbatwla o'r sampl cyntaf mewn tiwb profi. Ychwanegwch tua 5 cm³ o ddŵr distyll ato. Rhowch gaead ar y tiwb, a'i ysgwyd am tua munud.

Paratowch dwndis a phapur hidlo. Hidlwch y cymysgedd o bridd i mewn i diwb profi arall. Ychwanegwch ddangosydd pH at yr hidlif. Cofnodwch werth pH y cymysgedd.

Ail-wnewch y prawf hwn â phriddoedd eraill.

Ysgrifennwch atebion i'r cwestiynau canlynol:

a Pam mae angen defnyddio dŵr *distyll* yn y prawf hwn?

b Pam mae angen ysgwyd y tiwb am funud?

c Pa bridd yw'r un mwyaf asidig?

ch Pa bridd yw'r un mwyaf alcalïaidd?

Edrychwch ar y gwerthoedd pH gyferbyn sy'n dangos pa werth pH sydd fwyaf addas ar gyfer gwahanol blanhigion.

d Yn eich barn chi, pa un o'r samplau pridd yw'r gorau ar gyfer tyfu   (i) afalau   (ii) tatws   (iii) cyrens duon?

dd Pa fath o gnydau fyddai'n bosibl eu tyfu ym mhridd A?

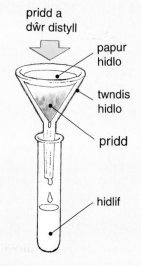

pridd a dŵr distyll

papur hidlo

twndis hidlo

pridd

hidlif

Sampl o bridd	Gwerth pH
A	
B	
.	
.	
.	

Gwerthoedd pH addas	
Enw	*pH addas*
afalau	5.0–6.5
tatws	4.5–6.0
cyrens duon	6.0–8.0
mintys	7.0–8.0
nionod	6.0–7.0
mefus	5.0–7.0
letys	6.0–7.0

pH yn eich bywyd bob dydd

➤ Gan weithio mewn grwpiau, trafodwch y lluniau isod:

- Penderfynwch a ydych i gyd yn cytuno â'r hyn sy'n cael ei ddweud.

- Dewiswch un ohonyn nhw i'w brofi. Sut fyddech yn gwneud hyn?

- Os oes amser wrth gefn, efallai bydd eich athro/athrawes yn gadael i chi wneud hyn.

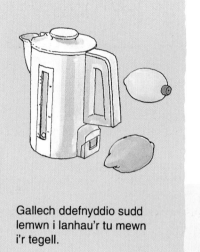

Gallech ddefnyddio sudd lemwn i lanhau'r tu mewn i'r tegell.

Gall mesur pH dŵr glaw ddweud llawer wrthon ni am lygredd yn yr aer.

asid

Mae pob math o siampŵ yn pH gytbwys.

Nid yw losin sur (*acid drops*) yn asid go iawn.

Mae finegr yn fath o asid. Dylai rhybudd gael ei ysgrifennu ar label finegr.

---

1 Gwnewch ddarlun i ddangos pa blanhigyn sy'n tyfu orau ym mhob pot blodau.

2 Mae gwerth pH calch tua 9, a gwerth pH asid citrig tua 4. Pa un ddylech chi ei ychwanegu at bridd niwtral er mwyn gallu tyfu afalau?

3 Gall asidau ac alcalïau fod yn sylweddau peryglus. Rhaid cymryd gofal mawr wrth eu defnyddio. Cynlluniwch boster i rybuddio pobl sy'n defnyddio'r labordy o'r perygl hwn.

4 Cynlluniwch ymchwiliad i weld sut mae pH pridd yn dibynnu ar faint o galch sy'n cael ei ychwanegu ato.

5 Defnyddir gwrtaith i wneud i blanhigion dyfu'n well. Mae gwrtaith yn rhoi maetholynnau (bwyd) i'r pridd a gall newid gwerth pH y pridd. A ddylai gwrteithiau gael eu defnyddio ai peidio? Beth yw eich barn chi? Rhowch resymau.

Pethau i'w gwneud

Cwestiynau

1 Cynlluniwch boster i egluro'r gair *asid*.
Defnyddiwch y geiriau pwysicaf a gwnewch ddarluniadau clir.

2 Mae'n bosibl gwneud dangosyddion trwy falu planhigion a llysiau gyda hylif.
Gallwch ddefnyddio propanon neu wirod methyl i wneud dangosydd gyda
bresych coch. Yn ôl Siwan, mae propanon yn well am dynnu'r lliw allan.
Cynlluniwch ymchwiliad i weld a yw Siwan yn gywir.

3 Ysgrifennwch adroddiad am y gwahanol ffyrdd o ddefnyddio asidau
yn y cartref.

4 Gwnewch restr o'r holl ddangosyddion cemegol defnyddioch chi
wrth wneud y gwaith yn y bennod hon.
Pa ddangosydd oedd yr un mwyaf defnyddiol? Pam?

5 Darllenwch y llythyr hwn a ymddangosodd mewn papur
newydd. Ysgrifennwch ateb at Mr Ceredig.
Dywedwch a ydych yn cytuno neu yn anghytuno â'i syniadau.

Rydw i wedi blino ar
y lorïau sy'n cario
cemegion. Maent yn
cario pethau peryglus
iawn, e.e. asidau. Pe
bai asid yn colli, gallai
ladd person. Dylai'r
tanceri mawr fod ar y
ffyrdd rhwng 11pm a
6am pan fydd ychydig
o geir ar y ffordd. Beth
am i'r Llywodraeth
ddeddfu. Oes rhywun
yn barod i'm cefnogi?
Mr C Ceredig

6 Mae ffermwr lleol am niwtralu ei dir asidig. Nid yw'n
gallu penderfynu a ddylai ddefnyddio CALCHO neu
SIWPERCAL ar gyfer gwneud hyn.
a) Cynlluniwch ymchwiliad i ddarganfod pa un yw'r
gorau ar gyfer niwtralu'r pridd.
b) Pa ffactorau eraill ddylai'r ffermwr eu hystyried cyn dewis?

7 Os ydych yn gadael afal ar ei hanner mae'n troi'n frown.
Mae cadw darnau o afal mewn toddiant o sudd lemwn yn arafu'r broses hon.
Ydy hyn yn gysylltiedig â pH y toddiant?
Awgrymwch ddamcaniaeth. Cynlluniwch ymchwiliad i brofi'r ddamcaniaeth
hon.

Wrth dyfu, mae pob un ohonom yn newid o fod yn fabi i fod yn blentyn, yna yn berson ifanc, ac yna yn oedolyn.

Ond nid mynd yn fwy yn gorfforol yn unig fyddwn ni wrth dyfu. Rydyn ni hefyd yn tyfu mewn ffyrdd eraill.

Rydyn ni'n datblygu yn feddyliol. Mae ein hemosiynau yn newid wrth i ni gymysgu â phobl. Bydd y rhan fwyaf ohonom yn dod o hyd i gymar ac efallai yn cael ein plant ein hunain. Yna, bydd ganddon ni gyfrifoldeb tuag at ein cymar a thuag at ein plant.

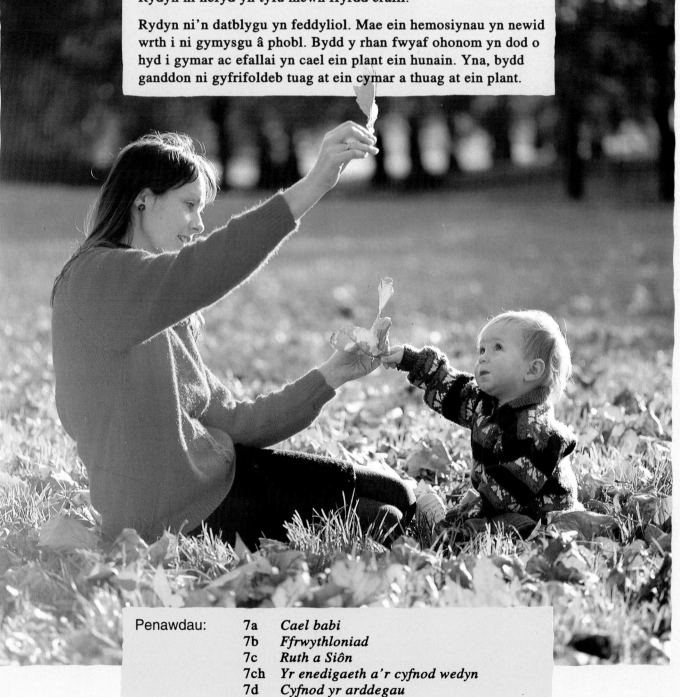

Penawdau: 7a   *Cael babi*
                  7b   *Ffrwythloniad*
                  7c   *Ruth a Siôn*
                  7ch *Yr enedigaeth a'r cyfnod wedyn*
                  7d   *Cyfnod yr arddegau*

Cael babi

➤ Edrychwch ar y gwahanol gyfnodau mewn bywyd dynol sy'n cael eu dangos yma:

Rhowch nhw yn y drefn gywir, gan ddechrau gyda'r ieuengaf.

Siarad plant

Pam mae pobl yn penderfynu cael plant? Mae rhai o'r rhesymau mae pobl yn eu rhoi dros gael plant i'w gweld isod.

➤ Mewn grwpiau, trafodwch pa resymau sy'n rhai da a pha rai sy'n rhai gwael. Rhowch nhw mewn trefn, gan ddechrau gyda'r rheswm y cytunwch fwyaf ag ef.

> Byddai pobl yn meddwl bod rhywbeth o'i le petaen ni ddim yn cael plant.

> Dw i am gael mab y galla i fynd ag e'i gêmau pêl-droed.

> Rydyn ni wedi gwirioni ar blant.

> Bydd cael plant yn dod â ni'n nes at ein gilydd.

> Bydd magu plant yn her.

> Rydyn ni eisiau mwynhau magu teulu.

> Byddwn ni'n cael mwy o arian wrth gael plant.

> Bydd ein plant yn gofalu amdanon ni pan fyddwn ni'n hen.

> Bydd ein rhieni wrth eu bodd yn cael wyrion.

➤ Pryd, yn eich barn chi, yw'r amser gorau i bâr gael babi?

Pryd, yn eich barn chi, sydd ddim yn amser da i gael babi?

Pa fath o baratoadau rydych chi'n ei feddwl fydd rhaid eu gwneud cyn i'r babi gael ei eni?

Sut mae babi yn cael ei wneud?

Er mwyn ffurfio babi mae'n rhaid i gelloedd rhyw gwryw a benyw uno. Mae'n rhaid i **sberm** dyn uno ag **wy** dynes. **Ffrwythloniad** yw'r enw ar hyn. Mewn bodau dynol, mae hyn yn digwydd y tu mewn i gorff y ddynes.

Dyma'r rhannau o gorff dyn a ddefnyddir i wneud sbermau:

➤ Bydd eich athro/athrawes yn rhoi copi i chi o'r diagram hwn.

a Lliwiwch yn las y man lle mae sbermau yn cael eu gwneud.
b Lliwiwch yn goch y man lle'r ychwanegir hylif at y sbermau.
c Lliwiwch yn felyn y tiwbiau mae'r sbermau yn mynd drwyddyn nhw ar eu ffordd allan o'r corff.
ch Rhestrwch y rhannau y mae'r sbermau yn mynd drwyddyn nhw.

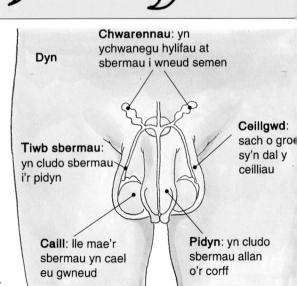

Chwarennau: yn ychwanegu hylifau at sbermau i wneud semen

Dyn

Ceillgwd: sach o gro sy'n dal y ceilliau

Tiwb sbermau: yn cludo sbermau i'r pidyn

Caill: lle mae'r sbermau yn cael eu gwneud

Pidyn: yn cludo sbermau allan o'r corff

Dyma'r rhannau o gorff dynes sy'n cael eu defnyddio i wneud wyau ac i greu babi:

➤ Bydd eich athro/athrawes yn rhoi copi i chi o'r diagram hwn.
d Lliwiwch yn las y man lle caiff wyau eu gwneud.
dd Lliwiwch yn goch y man lle gall ffrwythloniad ddigwydd.
e Lliwiwch yn felyn y man lle mae'r babi'n datblygu.
f Rhestrwch y rhannau y byddai'r wy yn mynd drwyddyn nhw ar ei ffordd allan o'r corff.

Dynes

Y groth: mewn dynes feichiog, mae'r babi yn tyfu yma

Tiwb wyau: yn cludo'r wy i'r groth bob mis

Ofarïau: lle mae'r wyau'n cael eu gwneud

Ceg y groth: yr agoriad i'r groth

Y wain: yn derbyn y sberm

Mae'n ffaith!

Pan fydd merch yn cael ei geni mae ganddi ddau ofari sy'n cynnwys miloedd o wyau wedi dechrau ffurfio. Ar ôl iddi dyfu'n ddynes bydd wy yn cael ei ryddhau o un ofari tua phob 28 diwrnod.

➤ Copïwch y brawddegau hyn ac ychwanegwch gymaint ag y gallwch atynt, gan ddefnyddio'r geiriau sydd yn y blwch gyferbyn:

- Rwy'n gwybod bod gan fenywod ...
- Rwy'n gwybod bod gan wrywod ...
- Mae ffrwythloniad yn digwydd pan fydd ...
- Bydd babi yn tyfu ...

Nawr defnyddiwch y geiriau hyn i wneud eich brawddegau eich hun.

ceilliau	wy	croth	sbermau
gwain	tiwb wyau	tiwb sbermau	

lle mae wyau'n cael eu gwneud

pidyn	ofarïau	ceillgwd

lle mae sbermau'n cael eu gwneud

---

1 Copïwch y geiriau yn y rhestr ganlynol. Rhowch (B) wrth ochr rhan o gorff benyw, a rhowch (G) wrth ochr rhan o gorff gwryw.

ofarïau	tiwb wyau	pidyn
croth	ceilliau	gwain
ceillgwd	tiwb sbermau	ceg y groth

2 Weithiau bydd tiwb wyau dynes yn blocio.
a) Pam nad yw dynes sydd â dau diwb wyau wedi'u blocio yn gallu cael babi?
b) Pam ei bod hi'n bosibl i ddynes sydd ag un tiwb wyau wedi'i flocio gael babi?

3 Copïwch y rhestr organau sydd ar y chwith a chyfatebwch bob organ â'i swyddogaeth gywir drwy ddefnyddio'r rhestr ar y dde.

pidyn	cludo sbermau i'r pidyn
ofarïau	y man lle mae'r babi'n tyfu
tiwb sbermau	gwneud sbermau
y wain	cludo wyau i'r groth
y groth	gwneud wyau
ceilliau	derbyn sbermau
tiwb wyau	dal y ceilliau
ceillgwd	cludo sbermau allan o'r corff

Pethau i'w gwneud

Ffrwythloniad

➤ Edrychwch ar y ffotograffau hyn o'r sberm dynol a'r wy dynol. Nodwch gymaint o wahaniaethau ag y gallwch rhwng y sberm a'r wy.

Caru

Dydy pobl ddim yn caru yn unig er mwyn cael babi. Mae dyn a dynes yn gallu mwynhau caru ar adegau eraill hefyd. Mae cael rhyw yn ffordd o ddangos eu bod yn caru ei gilydd. Trwy garu mae dyn a dynes yn medru teimlo'n agos iawn at ei gilydd. Mae cael rhyw yn fwy o lawer nag uno sberm ac wy.

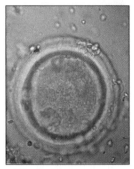

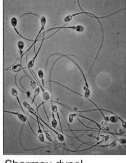

Wy dynol   Sbermau dynol

Pan fydd y dyn yn cynhyrfu mae ei bidyn yn caledu. Mae hyn yn digwydd oherwydd bod gwaed yn llifo i mewn i'r pidyn.

Pan fydd y ddynes yn cynhyrfu mae ei gwain yn mynd yn llaith ac yn lledu.

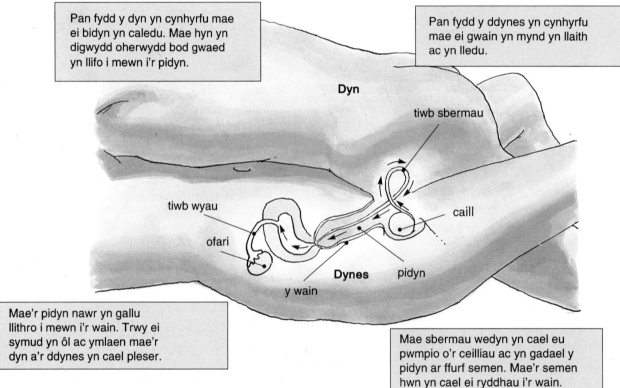

Dyn

tiwb sbermau

tiwb wyau

caill

ofari

Dynes

y wain

pidyn

Mae'r pidyn nawr yn gallu llithro i mewn i'r wain. Trwy ei symud yn ôl ac ymlaen mae'r dyn a'r ddynes yn cael pleser.

Mae sbermau wedyn yn cael eu pwmpio o'r ceilliau ac yn gadael y pidyn ar ffurf semen. Mae'r semen hwn yn cael ei ryddhau i'r wain.

➤ Copïwch y gosodiadau canlynol. Rhowch (G) am 'gwir' wrth ochr y rhai rydych yn cytuno â nhw, a rhowch (A) am 'anwir' wrth ochr y rhai nad ydych yn cytuno â nhw.

Mae pobl yn cael rhyw oherwydd eu bod nhw am gael babi.
Mae'n rhaid i chi fod yn briod i gael rhyw.
Yn ystod rhyw mae hylifau yn cael eu rhyddhau yn y corff.
Mae'n rhaid i bidyn y dyn fod yn galed er mwyn cael rhyw.
Pan fydd pâr yn caru, rhaid i'r dyn orwedd ar ben y ddynes.
Nid yw rhai pobl (gwyryfon) yn cael rhyw o gwbl yn ystod eu bywyd.
Mae pobl bob amser yn cael rhyw yn y gwely.

Mae'n ffaith!

Tua llond llwy de yn unig o semen sy'n cael ei ryddhau ar y tro, ond gall hynny gynnwys cymaint â 500 miliwn o sbermau.

Ar ôl caru ...

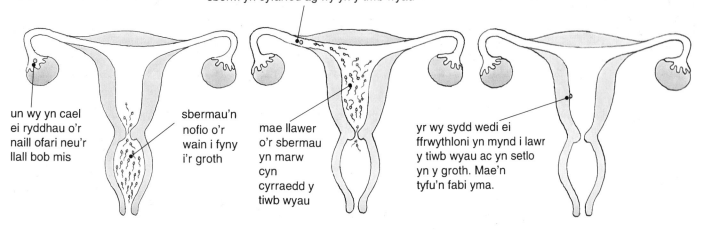

mae ffrwythloniad yn digwydd os yw'r sberm yn cyfarfod ag wy yn y tiwb wyau

un wy yn cael ei ryddhau o'r naill ofari neu'r llall bob mis

sbermau'n nofio o'r wain i fyny i'r groth

mae llawer o'r sbermau yn marw cyn cyrraedd y tiwb wyau

yr wy sydd wedi ei ffrwythloni yn mynd i lawr y tiwb wyau ac yn setlo yn y groth. Mae'n tyfu'n fabi yma.

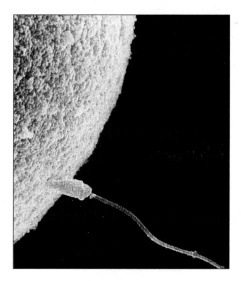

Pan fydd sberm yn cyfarfod â'r wy, mae'n colli ei gynffon. Mae pen y sberm yn mynd i mewn i'r wy ac mae cnewyllyn y sberm yn uno â chnewyllyn yr wy. Dyna beth yw **ffrwythloniad**.

Beth rydych chi'n ei feddwl?

➤ Trafodwch y gosodiadau hyn mewn grwpiau:

Mae'n anghyfreithlon i gael rhyw os ydych dan 16 oed.

Mae llawer o bobl yn dweud eu bod nhw wedi cael rhyw pan nad ydyn nhw mewn gwirionedd wedi cael rhyw.

Dim ond os ydyn nhw'n caru ei gilydd y dylai pâr gael rhyw.

Mae gan ddynion fwy o ddiddordeb mewn rhyw nag sydd gan fenywod.

Dim gormod

➤ Mae gan lawer o gymdeithasau eu rheolau a'u traddodiadau eu hunain er mwyn rhwystro pobl rhag cael gormod o blant. Ysgrifennwch am y canlynol:

- y rheolau a'r traddodiadau yn *eich cymdeithas chi*
- sut maen nhw'n helpu i reoli twf y boblogaeth [i]
- y rheolau a'r traddodiadau mewn gwledydd eraill.

---

1 Copïwch a chwblhewch:
a) Mae ffrwythloniad yn digwydd pan ...
b) Mae'r sbermau'n cael eu rhyddhau i'r ...
c) Er mwyn cyrraedd y tiwb wyau mae'r sbermau'n nofio ...
ch) Caiff wy ei ryddhau o ofari bob ...
d) Mae'r wy sydd wedi ei ffrwythloni yn mynd i lawr y tiwb wyau ...

2 Beth allai ddigwydd pe byddai'r wy sydd wedi ei ffrwythloni yn rhannu'n ddau?

3 Ceisiwch egluro'r gosodiadau hyn:
a) Mae pysgod a llyffantod yn cynhyrchu miloedd o wyau mewn dŵr.
b) Mewn bodau dynol, mae un wy ar y tro yn cael ei gynhyrchu y tu mewn i gorff benyw.
c) Mae dynion yn cynhyrchu miliynau o sbermau.

Pethau i'w gwneud

Ruth a Siôn

Roedd Ruth a Siôn eisiau cael babi. Pan na chafodd Ruth fislif roedd y ddau ohonyn nhw'n gobeithio ei bod hi'n **feichiog**. Aeth Ruth at y meddyg a rhoi sampl wrin i'w brofi. Dywedwyd wrthi'n fuan bod y prawf yn bositif – roedd hi'n feichiog! Roedd y ddau mor hapus ar ôl aros mor hir cyn cael babi.

Yn ystod yr wythnosau wedyn fe ddechreuodd Ruth a Siôn baratoi ar gyfer y babi newydd. Roedd Ruth yn mynd yn rheolaidd i'r **clinig cyn-geni**. Roedd y nyrs yn gofyn cwestiynau iddi, e.e.
Ai dyma'r tro cyntaf iddi fod yn feichiog?
Oedd hi erioed wedi cael unrhyw salwch difrifol?
Oedd unrhyw un o'i theulu neu o deulu Siôn wedi cael salwch difrifol?
Oedd gefeilliaid yn ei theulu hi neu yn nheulu Siôn?

Pan fyddai Ruth yn mynd i'r clinig, byddai'r nyrs yn ei phwyso ac yn mesur pwysedd ei gwaed. Byddai'r fydwraig neu'r meddyg yn ei harchwilio ac yn cynnig cyngor iddi ynglŷn â'r enedigaeth.

➤ Meddyliwch am ymweliadau Ruth â'r clinig cyn-geni ac atebwch y cwestiynau canlynol:
a Pam rydych chi'n meddwl bod y nyrs yn gofyn i Ruth a oedd unrhyw salwch difrifol yn y teulu?
b Pam roedd hi'n gofyn a oedd gefeilliaid yn y teulu?
c Pam roedd hi'n cael ei phwyso yn y clinig?
ch Pam roedden nhw'n mesur pwysedd gwaed Ruth?
d Nid yw Ruth yn ysmygu. Pam fyddai'r nyrs yn poeni pe byddai Ruth yn ysmygu?

4 wythnos   7 wythnos

14 wythnos

Dechrau bywyd newydd

Ar ôl i'r wy oedd wedi ei ffrwythloni fynd i lawr tiwb wyau Ruth, fe setlodd ym mur trwchus y groth. O dipyn i beth fe ddatblygodd i fod yn **ffoetws**.

➤ Edrychwch ar y ffotograffau hyn o ffoetws yn datblygu yn y groth.
dd Pa newidiadau allwch chi eu gweld? Ysgrifennwch nhw.

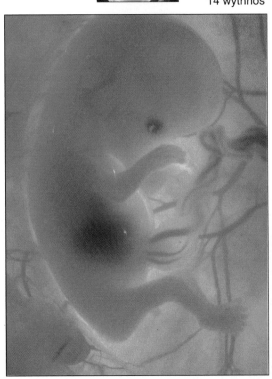

Yn gynnar yn ystod beichiogrwydd mae organ siâp plât, sef y **brych**, yn datblygu yn y groth. Mae'n rhwystro heintiadau a sylweddau niweidiol rhag cyrraedd y ffoetws. Mae'r ffoetws wedi'i gysylltu i'r brych gan **linyn bogail**.

➤ Ysgrifennwch yr atebion i'r cwestiynau hyn:
e Sut mae bwyd ac ocsigen yn cyrraedd y ffoetws?
f Sut mae'r ffoetws yn cael gwared â gwastraff?

➤ Edrychwch ar y diagram hwn o'r ffoetws y tu mewn i'r fam:

ff Sut mae'r ffoetws yn cael ei amddiffyn wrth iddo ddatblygu?

g Mae hylif o gwmpas y ffoetws.
Sut mae'r hylif hwn yn helpu'r ffoetws?

Meddyliau anaeddfed

➤ Dychmygwch eich bod yn ffoetws yn y groth. Sut deimlad ydyw? Sut rydych yn cael bwyd? Sut rydych yn anadlu? Sut rydych yn cael eich amddiffyn rhag ergydion? Beth allwch ei glywed?

Ysgrifennwch stori fer am eich profiadau.

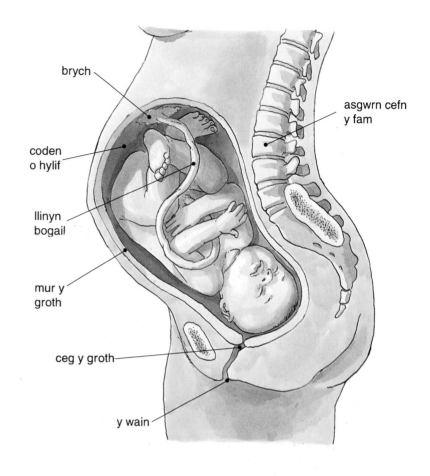

brych
asgwrn cefn y fam
coden o hylif
llinyn bogail
mur y groth
ceg y groth
y wain

Mae'n ffaith!

Nid yw'r brych yn gallu rhwystro pob sylwedd niweidiol rhag cyrraedd y ffoetws. Yn ystod y 1960au rhoddwyd y cyffur thalidomid i rai merched beichiog er mwyn eu helpu i gysgu. Rhoddodd rhai o'r merched hyn enedigaeth i fabanod heb freichiau neu goesau.

Bwyta digon i ddau

Mae'n rhaid i'r fam feichiog fwyta'n synhwyrol. Efallai ei bod hi'n bwyta ar gyfer dau, ond nid yw hynny'n golygu bod rhaid iddi fwyta dwywaith cymaint! Mae'n rhaid i'r babi gael **protein** er mwyn iddo dyfu. Bydd angen **calsiwm** arno hefyd er mwyn cael esgyrn a dannedd iach, a **haearn** er mwyn ffurfio celloedd gwaed.

➤ Yn eich grwpiau, gwnewch boster i ddangos i ferched beichiog y bydd eu harferion bwyta – da a drwg – yn effeithio ar eu babanod.

Mae'n ffaith!

Gall rhai germau groesi'r brych a chyrraedd y ffoetws. Os yw'r fam yn cael y frech Almaenig, gall effeithio ar lygaid, calon a chlyw'r babi. Mae merched 12 oed yn cael brechiad yn erbyn rwbela er mwyn gwneud yn siŵr nad ydyn nhw'n cael y frech Almaenig.

---

1 Pa waith pwysig sy'n cael ei wneud gan:
a) y brych?
b) y llinyn bogail?
c) y goden hylif?

2 Pa gyngor fyddech chi'n ei roi i Ruth ynglŷn â chadw'n iach yn ystod ei beichiogrwydd?

3 Casglwch rai pamffledi neu erthyglau sy'n cynnig cyngor ynglŷn â beichiogrwydd. Gwnewch eich pamffledi eich hun ar gyfer clinig cyn-geni.

4 Sut fedrai Siôn fod wedi helpu Ruth yn ystod y cyfnod roedd hi'n feichiog? Edrychwch ar y pamffledi neu holwch rai tadau.

Pethau i'w gwneud

Yr enedigaeth a'r cyfnod wedyn

Dychmygwch sut deimlad yw bod yn fabi sydd newydd ei eni. Ym mha ffordd mae bywyd y tu allan i'r fam yn wahanol i fywyd y tu mewn iddi?

➤ Copïwch a chwblhewch y tabl hwn:

	Yn y groth	Ar ôl cael ei eni
Sut mae'r babi'n cael bwyd?		
Sut mae'r babi'n cael ocsigen?		
I ba fath o bethau mae'r babi'n ymateb?		
Sut mae'r babi'n cael ei amddiffyn?		

Babi Ruth

Mae Ruth wedi bod yn feichiog ers 36 wythnos.

Un diwrnod mae'n teimlo cyhyrau'r groth yn gwasgu (**cyfangu**). Dyma ddechrau'r broses o **esgor**.

Aeth Siôn â hi yn syth i'r ysbyty. Bu ef a'r **fydwraig** yn ei helpu i baratoi ar gyfer yr enedigaeth. Roedd y cyfangiadau'n cryfhau ac yn digwydd yn fwy aml. Cyn hir torrodd y goden o hylif oedd o amgylch y babi.

Ar ôl oriau o wthio graddol, cafodd y babi ei eni. Ei ben ddaeth allan o'r wain yn gyntaf. Merch fach oedd hi!

Roedd hi wedi'i chysylltu i Ruth o hyd gan linyn bogail. Torrodd y meddyg y llinyn hwn. Wedyn daeth gweddill y llinyn a'r brych allan.

Gorffwysodd Ruth a chysgodd y babi. Cyn hir roedd y babi eisiau bwyd. Cafodd laeth o fronnau ei mam. Penderfynodd Ruth a Siôn ei galw'n Manon.

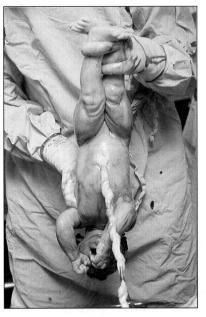

Mae'r babi hwn newydd gael ei eni. Mae'r llinyn ar fin cael ei glymu a'i dorri.

➤ Ysgrifennwch eich atebion i'r cwestiynau canlynol:

a Sut ddaeth y babi allan o gorff Ruth?

b Beth oedd pwrpas y llinyn bogail?

c I ba ran o'ch corff roedd eich llinyn chi wedi'i gysylltu pan gawsoch eich geni?

ch Beth yw brych?

Gofalu am y babi

Mae bodau dynol yn gofalu am eu babanod.

➤ Pan oeddech yn fabi roedd arnoch
angen pethau i wneud i chi deimlo'n
hapus a diogel. Roedd arnoch angen
pethau hefyd i dyfu a chadw'n iach.

Rhestrwch rai o'r pethau hyn.

Mae gan fabi:
- anghenion **corfforol**, fel gwres;
- anghenion **emosiynol**, fel cariad.

➤ Edrychwch ar y lluniau. Fedrwch chi
ddod o hyd i rai o'r anghenion hyn?
Copïwch a chwblhewch y tabl hwn:

Anghenion corfforol	Anghenion emosiynol
gwres	cariad

➤ Trafodwch mewn grwpiau beth yw
anghenion y canlynol gan eu rhieni:
- babi
- plentyn 6 oed
- chi.

'Myfi sy'n magu'r baban'

➤ Mae ffrindiau wedi gofyn i chi warchod Ben, eu
babi 18 mis oed, am y prynhawn.
Nodwch y pethau corfforol a'r pethau emosiynol rydych
chi'n meddwl y bydd Ben eu hangen.
Sut fyddwch yn cyflawni'r anghenion hyn?

1 Copïwch a chwblhewch:

Mae'r babi yn barod i gael ei eni ar ôl
.... wythnos. Fel arfer mae'n gorwedd
â'i .... i lawr y tu mewn i .... y fam.
Mae'n .... allan trwy .... y fam.
Mae'n symud oherwydd .... mur y groth.

2 Sut, yn eich barn chi, allai Siôn fod wedi
helpu Ruth yn ystod genedigaeth eu babi?

3 Pan fydd mam yn mynd â'i babi i glinig
i'w archwilio gan nyrs (gofal wedi'r geni),
pa fath o bethau fyddech chi'n disgwyl i'r
nyrs edrych arnyn nhw?

4 Edrychwch ar y tabl isod.
a) Lluniwch siart bar yn dangos yr amser
rhwng ffrwythloniad a genedigaeth yn
achos yr anifeiliaid sy'n cael eu rhestru isod.
b) Fedrwch chi weld unrhyw batrwm?

Anifail	Cyfnod rhwng ffrwythloniad a'r geni (misoedd)
bochdew	0.5
cwningen	1
cath	2
dafad	5
tsimpansî	7
dynes	9
ceffyl	11
eliffant	20

**Pethau
i'w gwneud**

Cyfnod yr arddegau

Mae **cyfnod yr arddegau** yn gyfnod o newid yn ein bywydau. Yn ystod y cyfnod hwn bydd pob un ohonom yn newid o fod yn blentyn i fod yn oedolyn ifanc. Mae ein cyrff a'n hemosiynau yn newid.

➤ Oes ganddoch chi ffotograff ohonoch pan oeddech yn 8 neu 9 oed?

Cyfnewidiwch y ffotograff ohonoch chi â ffotograff o un o'ch ffrindiau.

Sut mae eich ffrind wedi newid?
Sut rydych chi wedi newid?

Y **glasoed** yw'r enw ar gam cyntaf cyfnod yr arddegau. Mae'r rhan fwyaf o'r newidiadau yn ein cyrff yn digwydd bryd hyn. Nid yw'r glasoed yn dechrau ar yr un adeg i bawb. Fel rheol, bydd yn dechrau yn gynt mewn merched nag mewn bechgyn.

➤ Edrychwch ar ddisgyblion Blwyddyn 8 a Blwyddyn 9 eich ysgol. Ydych chi'n sylwi bod llawer o'r merched yn dalach na llawer o'r bechgyn? Beth am ddisgyblion Blwyddyn 11? Fe welwch fod nifer o'r bechgyn yr un mor dal â'r merched, neu'n dalach na nhw, erbyn hyn.

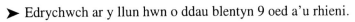

➤ Edrychwch ar y llun hwn o ddau blentyn 9 oed a'u rhieni.

a Nodwch ym mha ffyrdd mae'r tad wedi newid ers iddo fod yn fachgen 9 oed.
b Nodwch ym mha ffyrdd mae'r fam wedi newid ers iddi fod yn ferch 9 oed.

Bydd rhai newidiadau eraill nad ydych yn eu gweld yn y llun yn digwydd. Mae'r tabl gyferbyn yn rhestru rhai o'r newidiadau hynny:

Beth, yn eich barn chi, sy'n achosi'r holl newidiadau hyn?

Yr ateb, mewn gair, yw '**hormonau**'.
Cemegion sy'n cael eu gwneud yn ein cyrff yw hormonau. Mae hormonau rhyw merch yn cael eu cynhyrchu gan yr ofarïau, tra bo hormonau rhyw bachgen yn cael eu cynhyrchu gan y ceilliau.

Merched	Bechgyn
ofarïau'n dechrau rhyddhau wyau	ceilliau'n dechrau cynhyrchu sbermau
y mislif yn dechrau	y llais yn dyfnhau (yn 'torri')

Mae'n ffaith!

Mae llawer o bobl ifanc yn cael smotiau neu acne. Nid yw'n arwydd eu bod nhw'n fudr. Yr hormonau rhyw sy'n achosi hyn ac mae'r smotiau'n diflannu wedi i gyfnod yr arddegau ddod i ben.

Y mislif

Un o'r newidiadau sy'n digwydd i ferched yn ystod y glasoed yw eu bod yn dechrau cael mislif. Beth felly yw mislif?

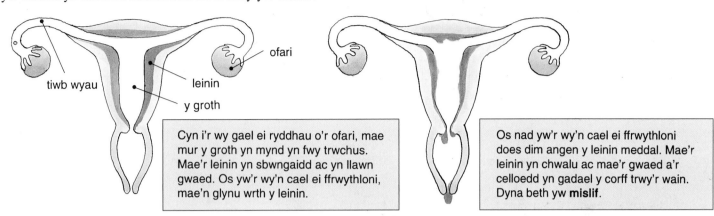

ofari

tiwb wyau

leinin

y groth

Cyn i'r wy gael ei ryddhau o'r ofari, mae mur y groth yn mynd yn fwy trwchus. Mae'r leinin yn sbwngaidd ac yn llawn gwaed. Os yw'r wy'n cael ei ffrwythloni, mae'n glynu wrth y leinin.

Os nad yw'r wy'n cael ei ffrwythloni does dim angen y leinin meddal. Mae'r leinin yn chwalu ac mae'r gwaed a'r celloedd yn gadael y corff trwy'r wain. Dyna beth yw **mislif**.

Bydd mislif yn para rhwng 3 a 7 diwrnod. Mae'n digwydd fel rheol bob 28–31 diwrnod, ond gall amrywio. Ar y dechrau efallai y bydd y mislif braidd yn afreolaidd, ond wrth i ferched fynd yn hŷn daw eu mislif yn fwy rheolaidd. Gall merched ddewis pa dywel mislif neu dampon i'w ddefnyddio i amsugno'r llif gwaed.

c Beth rydych chi'n ei feddwl fyddai'n digwydd i leinin y groth pe byddai'r wy wedi ei ffrwythloni?

Emosiynau

Yn ystod cyfnod yr arddegau mae ein teimladau hefyd yn dechrau newid. Yn sydyn mae'r rhyw arall yn ymddangos yn ddiddorol ac yn ddeniadol. Mae bechgyn a merched yn dechrau edrych ar eu hunain a gofyn cwestiynau fel:
Ydw i'n normal?
Ydw i'n rhy dal neu'n rhy dew?
Ydw i'n ddeniadol yng ngolwg y rhyw arall?

➤ Mewn grwpiau, trafodwch rai 'llythyrau problem' sydd wedi eu hysgrifennu gan bobl ifanc yn eu harddegau.
Ydych chi'n meddwl bod angen i'r bobl ifanc hyn boeni?
Ysgrifennwch ateb i un o'r llythyrau.

---

1 Copïwch y diagram hwn a'i ddefnyddio i ateb y cwestiynau canlynol:

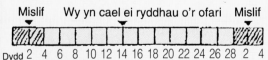

a) Pa mor aml mae'r mislif yn digwydd?
b) Am faint mae'r mislif yn para?
c) Ar ba ddiwrnod mae wy'n cael ei ryddhau?
ch) Nodwch ar y diagram pryd mae ffrwythloniad yn fwyaf tebygol o ddigwydd.

2 Pam rydych chi'n meddwl bod angen leinin trwchus yr wterws?

3 Mae wy yn cael ei ryddhau o ofari merch ar 2 Ebrill. Pryd fydd yr wy nesaf yn cael ei ryddhau:
• 30 Ebrill
• 8 Mai
• 14 Ebrill?

4 Pam nad yw merch feichiog yn cael mislif?

Pethau i'w gwneud

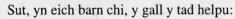

Cwestiynau

1
a) Beth sy'n digwydd i sbermau dyn ar ôl iddyn nhw gael eu rhyddhau i gorff y ddynes?
b) Beth sy'n digwydd i wy dynol ar ôl iddo gael ei ffrwythloni?

2 Ydych chi'n meddwl bod y gosodiadau hyn yn wir?
Rhowch reswm dros eich ateb bob tro.
a) "Rydw i wedi clywed nad ydy hi'n bosibl i ferch sy'n cael rhyw am y tro cyntaf ddod yn feichiog."
b) "Os ydw i'n gwybod pryd yn union mae fy wy yn cael ei ryddhau, mae'n hollol ddiogel i mi gael rhyw ar unrhyw adeg arall."

3 Edrychwch ar y diagram hwn o efeilliaid y tu mewn i'r groth:
a) Ysgrifennwch y llythrennau A i Ch ac enwch bob un o'r rhannau.
b) Beth rydych chi'n ei feddwl sy'n digwydd i bob un o'r rhannau hyn yn ystod yr enedigaeth?
c) Mae'r gefell sydd ar ochr dde'r diagram yn gorwedd mewn ffordd fwy addas ar gyfer yr enedigaeth nag y mae'r gefell sydd ar y chwith. Ym mha ffordd?

A
B
C
Ch

4 Sut, yn eich barn chi, y gall y tad helpu:
a) yn ystod beichiogrwydd y fam?
b) yn ystod yr enedigaeth?

5
a) Rhestrwch 4 newid fydd yn digwydd i gorff merch yn ystod y glasoed.
b) Rhestrwch 4 newid fydd yn digwydd i gorff bachgen yn ystod y glasoed.

6 Mae Karen yn 14 oed. Mae'n dweud:
"Dw i'n teimlo 'mod i'n ffraeo efo mam a dad drwy'r adeg y dyddiau hyn. Rydyn ni'n ffraeo am ble rydw i'n mynd, fy ffrindiau, a hyd yn oed beth rydw i'n ei wisgo! Roeddwn i'n arfer dod 'mlaen mor dda efo nhw. Ai fi sydd ar fai? Be' sy'n digwydd i mi?"
Pa gyngor allwch chi ei gynnig i Karen?

7 Mae Marc a Sioned yn 16 oed. Maen nhw wedi bod yn canlyn ei gilydd ers dwy flynedd. Mae'n nos Wener ac mae Sioned wedi gorfod mynd i ffwrdd am y penwythnos gyda'i theulu er mwyn mynd i briodas. Does gan Marc ddim byd i'w wneud. Mae ei ffrindiau yn galw heibio ac yn ei berswadio i fynd allan gyda nhw i ddisgo lleol.
Yn y disgo mae Marc yn sylwi ar Sara. Mae ei ffrindiau'n dweud wrtho bod Sara'n ei ffansïo ers tro byd.
Ysgrifennwch 2 ddiweddglo gwahanol i'r stori. Yn un ohonyn nhw dangoswch fod Marc yn ymddwyn yn garedig ac yn gyfrifol tuag at Sioned, ac yn y diweddglo arall dangoswch nad yw'n ymddwyn felly.

Magneteg a thrydan

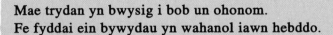

Mae trydan yn bwysig i bob un ohonom.
Fe fyddai ein bywydau yn wahanol iawn hebddo.

Rydyn ni'n ei ddefnyddio ar gyfer goleuo a gwresogi.

Gallwn hefyd ddefnyddio trydan i wneud magnetau – ac rydyn
ni'n gwneud hyn bob dydd yn ein setiau radio a theledu, mewn
chwaraewyr casetiau a llawer o bethau eraill.

Penawdau:
- 8a *Magnetau*
- 8b *Defnyddio meysydd magnetig*
- 8c *Switsio*
- 8ch *Cylchedau cyfres a pharalel*
- 8d *Poethi*
- 8dd *Ymchwilio i fatrïau*

Magnetau

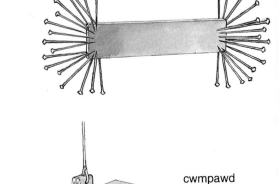

a Os ydych yn colli pinnau ar lawr, pa un yw'r ffordd orau o'u codi?

Os ydych yn defnyddio magnet, mae'r pinnau'n glynu wrth bennau neu **bolau**'r magnet.

b Allwch chi ddefnyddio magnet i godi papur oddi ar y llawr? Pam?

Roedd morwyr yn arfer rhoi magnet i hongian ar ddarn o linyn, fel ei fod yn gallu siglo'n rhydd:

cwmpawd

c Pam roedd y morwyr yn gwneud hyn?

ch Beth yw enw'r darn hwn o offer?

Mae pen y magnet sy'n pwyntio tua'r Gogledd yn cael ei alw yn bôl Gogledd y magnet.

d Beth yw enw pen arall y magnet?

Mae rhai pethau'n fagnetig, ond nid pethau eraill. Rydych wedi ymchwilio i hyn eisoes (gweler tudalen 15).

dd Pa rai o'r rhain sy'n fagnetig: pren, haearn, plastig, papur, dur, darn o arian?

Gwneud magnet

Mae'n bosibl magneteiddio darn o haearn neu ddur drwy dynnu magnet nifer o weithiau ar ei hyd:

e Pam ei bod weithiau'n ddefnyddiol cael sgriwdreifer sy'n fagnetig?

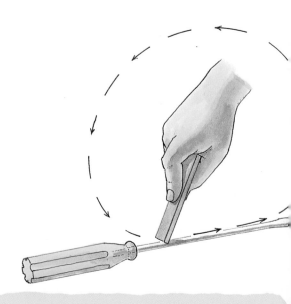

Os yw magnet yn cael ei wresogi nes y bydd yn chwilboeth, mae'n cael ei **ddadfagneteiddio**.

Meysydd magnetig

Mae magnetau'n gallu *atynnu* neu *wrthyrru* magnetau eraill.
Mae pôl **G** yn gwrthyrru pôl **G** arall.
Mae pôl **D** yn atynnu pôl **G**.

Maen nhw'n gallu gwneud hyn heb fod yn cyffwrdd. Y rheswm dros hynny yw fod gan fagnet **faes magnetig** o'i amgylch. Mae haearn a dur yn cael eu heffeithio gan faes magnetig. Mae gan y Ddaear faes magnetig o'i hamgylch. Mae'r maes hwn yn gwneud i gwmpawd bwyntio tua'r Gogledd.

f Beth sy'n digwydd os yw pôl **D** yn dod yn agos at bôl **D**?

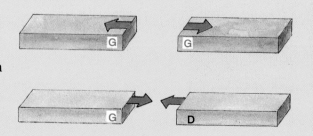

Ymchwilio i gemau magnetig

Dyma 4 gêm fagnetig. Trefnwch eich amser yn ofalus a gwnewch gymaint ohonyn nhw â phosibl.
Ar gyfer pob un, gwnewch fraslun ac ysgrifennwch ddisgrifiad **gwyddonol** o'r hyn sy'n digwydd.

Trac rasio

Gwnewch lun trac rasio ac yna 'gyrrwch' glip papur o'i amgylch.

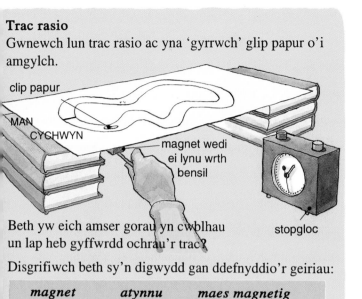

Beth yw eich amser gorau yn cwblhau un lap heb gyffwrdd ochrau'r trac?

Disgrifiwch beth sy'n digwydd gan ddefnyddio'r geiriau:

magnet	atynnu	maes magnetig

Didolwr darnau arian

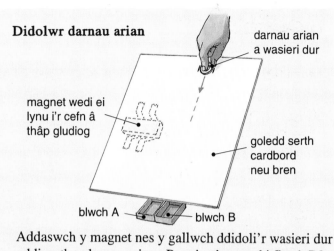

Addaswch y magnet nes y gallwch ddidoli'r wasieri dur oddi wrth y darnau arian. Pa rai sy'n mynd i flwch B?
Sut mae hyn yn gweithio? Defnyddiwch y geiriau:

magnet	atynnu	dur	maes magnetig

Creu wyneb

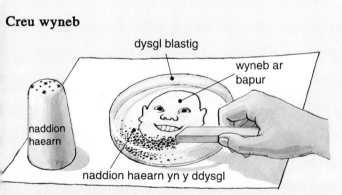

Newidiwch yr wyneb: rhowch wallt, aeliau neu farf iddo.
Disgrifiwch beth wnaethoch gan ddefnyddio'r geiriau:

magnet	atyniad	haearn	maes magnetig

Cŵn magnetig

Gwnewch ddau 'gi' fel hyn:

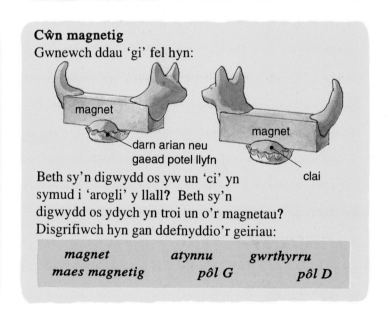

Beth sy'n digwydd os yw un 'ci' yn symud i 'arogli' y llall? Beth sy'n digwydd os ydych yn troi un o'r magnetau?
Disgrifiwch hyn gan ddefnyddio'r geiriau:

magnet	atynnu	gwrthyrru
maes magnetig	pôl G	pôl D

---

1 Copïwch a chwblhewch:
a) Mae gan fagnet faes .... o'i amgylch.
b) Mae'r maes .... gryfaf wrth bennau'r magnet, sef .... Gogledd a .... De.
c) Gellir magneteiddio darn o haearn drwy .... ar ei hyd. Gellir ei ddadfagneteiddio drwy ei .... .
ch) Mae gan y Ddaear .... magnetig o'i hamgylch.
d) Mae pôl G yn .... pôl G arall.
   Mae pôl D yn .... pôl G.

2 Tybiwch eich bod yn cael powlen o siwgr gyda naddion haearn yn gymysg ynddo.
a) Sut allech chi wahanu'r siwgr oddi wrth y naddion haearn?
b) Allwch chi feddwl am ffordd hollol wahanol o wneud hyn?

3 Cynlluniwch archwiliad i gymharu cryfder dau fagnet bar. Pa offer fyddai eu hangen arnoch? Lluniwch ddiagram.
Sut fyddech yn ei wneud yn brawf teg?

Pethau i'w gwneud

Defnyddio meysydd magnetig

Defnyddio magnetau

Dyma rai ffyrdd o ddefnyddio magnetau:

➤ Ar gyfer pob un, ysgrifennwch frawddeg yn ei ddisgrifio. Defnyddiwch y geiriau hyn os yw'n bosibl:

magnet   pôl
atynnu   gwrthyrru
maes magnetig

a Cau drws cwpwrdd

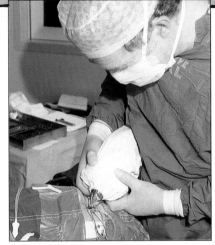

c Mewn ysbyty llygaid

b Mewn cwmpawd

ch Craen magnetig mewn iard sgrap

Gwneud electromagnet

Mae'r bachyn drws a'r cwmpawd yn defnyddio magnetau parhaol. Ond mae'r craen yn defnyddio **electromagnet**. Gellir troi electromagnet ymlaen ac yna ei ddiffodd.

➤ Defnyddiwch y diagram i wneud electromagnet.

Rhybudd: cysylltwch y batri am ychydig eiliadau yn unig neu fe fydd yn mynd yn fflat yn gyflym!

- Sut allwch chi brofi cryfder eich electromagnet? Rhowch gynnig arni.

- Beth sy'n digwydd pan ydych yn diffodd y cerrynt?

- Allwch chi feddwl sut i'w wneud yn fagnet cryfach? Os oes amser gennych, rhowch gynnig arni.

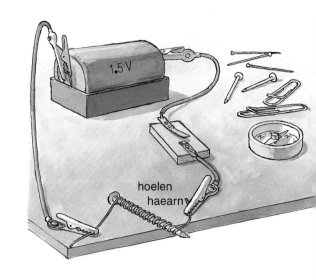

Mae electromagnetau'n cael eu defnyddio ym mhob modur trydan, cloch drws, uchelseinydd a set deledu.

Meysydd magnetig

Allwn ni ddim gweld y maes magnetig sydd o amgylch magnet, ond gallwn ddarganfod beth yw ei siâp.

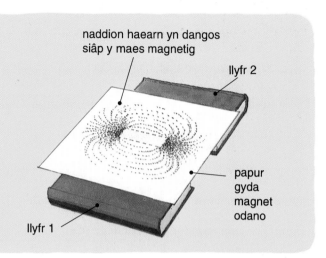

Rhowch fagnet o dan ddalen o bapur fel y dangosir:

Taenwch ychydig o naddion haearn ar y papur ac yna tapiwch y papur.

Edrychwch yn ofalus ar y patrwm sy'n ymddangos. Allwch chi weld ei fod yr un fath â'r siâp sydd yn y diagram?

Gwnewch fraslun o'r siâp hwn.

Mae'r naddion haearn fel cwmpawdau bychain, ac yn pwyntio ar hyd y maes magnetig. Mae'r llinellau crwm yn cael eu galw yn **llinellau maes** neu **linellau fflwcs**.

Dyma ffordd well. Defnyddiwch *gwmpawd plotio* i wneud map o'r maes magnetig.

Dilynwch y cyfarwyddiadau hyn yn ofalus:

1. Gosodwch eich magnet ar ddalen fawr o bapur a gwnewch linell o'i amgylch i farcio'i leoliad.

2. Dewiswch bwynt cychwynnol wrth ymyl pôl G y magnet a'i farcio â dot pensil.

3. Rhowch 'gynffon' y cwmpawd dros eich dot, ac yna rhowch ail ddot wrth 'flaen' bys y cwmpawd.

4. Symudwch y cwmpawd nes bydd ei 'gynffon' dros y dot hwn, a daliwch ati yn yr un modd.

5. Dotiwch lwybr y cwmpawd wrth iddo eich arwain trwy'r maes magnetig. Cysylltwch y dotiau.

6. Dewiswch bwynt cychwynnol arall, i gael llinellau maes gwahanol, fel yn y diagram.

• Ydy siâp y llwybr yr un fath â'r tro diwethaf?

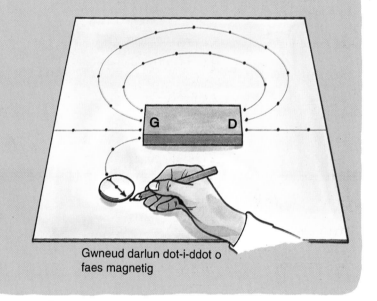

Gwneud darlun dot-i-ddot o faes magnetig

Pethau i'w gwneud

1 Gwnewch arolwg o'r holl bethau yn eich cartref sy'n defnyddio electromagnetau. (Cliw: edrychwch ar waelod tudalen 98.)

2 Dychmygwch eich bod yn filfeddyg, a'ch bod yn gorfod trin ci â phigyn dur yn ei lygad. Disgrifiwch sut y gallech helpu.

3 Cynlluniwch gêm sy'n defnyddio electromagnet.

4 Tybiwch eich bod yn deffro yfory ac yn darganfod nad oes unrhyw electromagnet yn gweithio bellach. Ysgrifennwch am y modd y byddai eich bywyd yn cael ei newid. (Cliw: edrychwch ar waelod tudalen 98.)

5 Cynlluniwch ymchwiliad i weld a yw'n haws gwneud haearn yn fagnet na dur. Sut fyddech yn ei wneud yn brawf teg?

Switsio

Mae trydan yn ffordd ddefnyddiol iawn o gael egni. Weithiau rydyn ni'n defnyddio **batri** ac weithiau rydyn ni'n defnyddio trydan **y prif gyflenwad**. Gall trydan y prif gyflenwad fod yn beryglus – peidiwch â'i ddefnyddio yn yr arbrofion hyn.

➤ Gwnewch restr o bethau yn eich cartref sy'n defnyddio trydan o fatri neu o'r prif gyflenwad.

➤ Edrychwch ar y **gylched** sy'n cael ei dangos yma.

Oddi tani mae **diagram cylched**, sy'n dangos yr un gylched, mewn symbolau.

Beth yw'r symbol ar gyfer:

     a) y **batri** (neu'r **gell**)?
     b) **bwlb y lamp**?
     c) y **swits**?

➤ Copïwch y diagram cylched hwn a labelwch y symbolau.

➤ Nawr defnyddiwch yr offer i wneud y gylched.

Beth sy'n rhaid i chi ei wneud er mwyn i'r bwlb oleuo?

Dywedwn fod **cerrynt** trydan yn llifo trwy'r gylched. ***Dim ond trwy gylched gyflawn***, heb unrhyw fylchau ynddi, mae cerrynt yn gallu llifo.

➤ Edrychwch yn ofalus ar swits. Beth sy'n digwydd pan ydych yn ei bwyso? Sut mae'n gweithio?

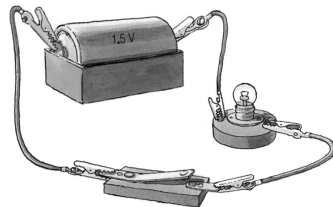

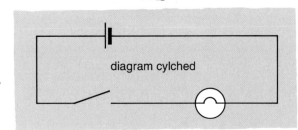

diagram cylched

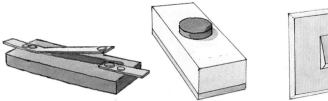

Dargludyddion ac ynysyddion

Mae defnydd sy'n gadael i gerrynt trydan lifo trwyddo yn cael ei alw yn **ddargludydd**. Nid yw **ynysydd** yn gadael i drydan fynd trwyddo.

Defnyddiwch y gylched a ddangosir yn y diagram i brofi rhai defnyddiau, i weld ai dargludyddion neu ynysyddion ydyn nhw.

- Dangoswch eich canlyniadau mewn tabl.
- Ysgrifennwch adroddiad byr am yr hyn wnaethoch chi, gan gynnwys diagram cylched.
- Beth rydych chi'n sylwi arno ynglŷn â'r defnyddiau sy'n dargludo?
- Ai dargludydd neu ynysydd yw aer? Sut wyddoch chi?

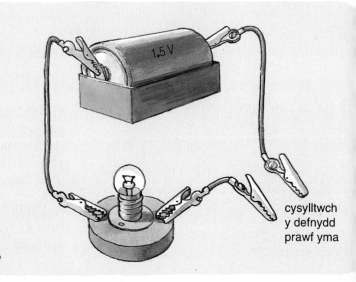

cysylltwch y defnydd prawf yma

Gemau trydanol

Dewiswch **un** o'r gemau hyn a lluniwch ddiagram manwl o'r modd y byddech yn ei gwneud. Dangoswch eich cynllun i'ch athro/athrawes, ac yna gwnewch eich gêm.

Gêm y llaw gadarn

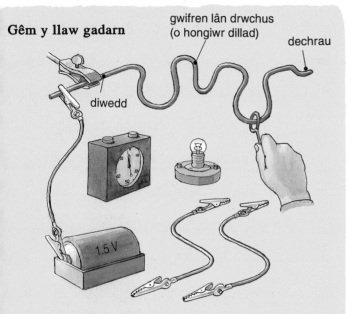

Ydy eich llaw yn ddigon cadarn i chi fod yn llawfeddyg neu'n filfeddyg?

- Sawl eiliad mae'n ei gymryd i chi gwblhau'r cwrs?
- Allwch chi ei wneud gyda'ch llaw arall?
- Allwch chi gyfri tuag at yn ôl o 99 ar yr un pryd?

Gêm cwis

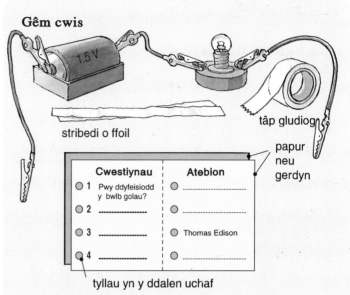

- Sut allwch chi ddefnyddio'r ffoil i gysylltu twll 'Cwestiwn' gyda'r twll 'Ateb' cywir (fel nad yw'n bosibl ei weld)?
- Beth allwch chi ei ddefnyddio i ynysu'r stribedi ffoil oddi wrth ei gilydd?
- Lluniwch eich cwestiynau (a'ch atebion) gwyddoniaeth eich hun i brofi eich ffrindiau.

➤ Ysgrifennwch sut mae eich gêm yn gweithio, gan ddefnyddio'r geiriau:

batri	gwifren gysylltu	cylched gyflawn	cerrynt trydan	dargludydd	ynysydd

1 Copïwch a chwblhewch:
a) Gall trydan y prif gyflenwad fod yn .... iawn.
b) Pan fydd bwlb yn goleuo, mae'n dangos fod .... trydan yn llifo.
c) Er mwyn i gerrynt trydan lifo, mae'n rhaid cael cylched .... , heb unrhyw fylchau ynddi.

2 Atebwch yn ofalus.
a) Esboniwch beth yw ystyr:
(i) dargludydd (ii) ynysydd.
b) Lluniwch a labelwch y symbolau cylched ar gyfer (i) batri (ii) bwlb (iii) swits.
c) Esboniwch beth sy'n digwydd pan ydych yn defnyddio swits.

3 Tybiwch eich bod yn deffro yfory i ddarganfod nad oes trydan o gwbl yn y byd. Sut fyddai eich bywyd yn wahanol?

4 Mae Mr Smith yn fyddar ac felly nid yw'n gallu clywed cloch y drws.
a) Gwnewch ddiagram cylched i ddangos sut fyddech yn cysylltu bwlb fyddai'n goleuo wrth i ymwelydd bwyso'r swits.
b) Sut fyddech chi'n ei addasu i oleuo bwlb arall yn ei gegin yn ogystal â'r un yn yr ystafell fyw? Gwnewch ddiagram cylched.

5 Lluniwch boster i rybuddio plant ifanc i beidio pwnio socedi'r prif gyflenwad trydan na thanau trydan.

6 Cynlluniwch ymchwiliad i ganfod ai dargludydd neu ynysydd yw dŵr hallt.

Pethau i'w gwneud

➤ Edrychwch ar y diagram hwn:

Mae cerrynt trydan yn llifo trwy'r batri a thrwy'r gwifrau yn y bwlb.

a Lluniwch y symbol ar gyfer batri, a'i labelu.

b Lluniwch y symbol ar gyfer bwlb (lamp).

c Lluniwch y diagram cylched hwn, gan roi saethau ym mhobman y mae cerrynt, yn eich barn chi.

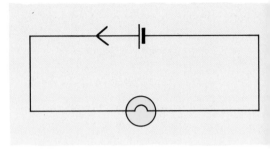

Mae gwyddonwyr wedi darganfod bod trydan wedi ei wneud o **electronau**. Gronynnau bach yw'r rhain, sydd hyd yn oed yn llai nag atomau. Mae'r electronau'n teithio trwy'r gwifrau.

Mae cerrynt trydan yn debyg i ddŵr yn llifo trwy bibell. Edrychwch ar y diagram hwn o bibellau gwres canolog mewn tŷ:

ch Pa ran o'r diagram sy'n debyg i *fatri*? (Cliw: mae batri'n gwthio electronau o amgylch cylched.)

d Pa ran o'r diagram sydd fwyaf tebyg i *fwlb*? (Cliw: mae bwlb yn cael ei wresogi gan yr electronau sy'n mynd trwyddo.)

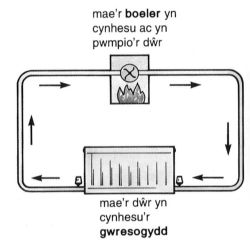

mae'r **boeler** yn cynhesu ac yn pwmpio'r dŵr

mae'r dŵr yn cynhesu'r **gwresogydd**

Cylched gyfres

Mae'r dŵr yn mynd trwy'r boeler, ac yna mae'r un dŵr yn mynd trwy'r gwresogydd. Dywedwn eu bod mewn **cyfres**.

Yn yr un ffordd, mae'r electronau yn mynd trwy'r batri, yna maen nhw'n mynd trwy'r bwlb, ac yna'n ôl i'r batri. Mae hon yn **gylched gyfres**.

➤ Cysylltwch y gylched gyfres hon:

dd Ydy'r ddau fwlb yn goleuo? Oes cerrynt yn mynd trwy'r ddau fwlb?

e Nawr datgysylltwch *un* o'r bylbiau. Beth sy'n digwydd? Pam mae hyn yn digwydd?

f Mae goleuadau coeden Nadolig wedi eu cysylltu mewn cyfres fel arfer. Beth sy'n digwydd os yw *un* o'r bylbiau'n methu?

ff Sut rydych chi'n gwybod nad yw'r goleuadau yn eich cartref wedi eu cysylltu mewn cyfres?

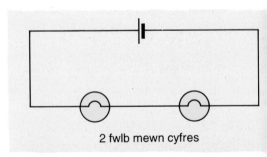

2 fwlb mewn cyfres

Cylchedau paralel

Edrychwch ar y gylched hon a'i diagram cylched:

Cylched baralel yw hon.
Mae dau lwybr i'r cerrynt lifo ar eu hyd,
gyda bwlb ar bob llwybr.
Dywedwn fod y ddau fwlb **yn baralel**.

Pan fydd yr electronau'n teithio o'r batri,
mae *rhai* ohonyn nhw'n mynd trwy fwlb **A**
a'r *gweddill* yn mynd trwy fwlb **B**.

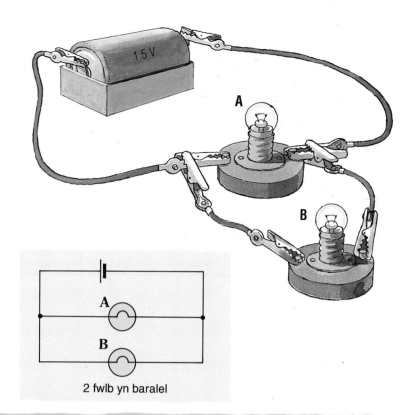

➤ Cysylltwch y gylched baralel hon:

g Ydy'r ddau fwlb yn goleuo? Oes cerrynt
yn mynd o amgylch y ddau lwybr?

ng Nawr datgysylltwch *un* o'r bylbiau.
Pam mae'r bwlb arall yn parhau i oleuo?

h Ydy'r goleuadau yn eich cartref wedi eu
cysylltu mewn cyfres neu yn baralel?
Sut rydych yn gwybod hynny?

2 fwlb yn baralel

Dadansoddi cylchedau

Dyma ddiagram cylched ar gyfer 2 olau mewn tŷ dol:

Defnyddiwch eich bys i ddilyn llwybr yr electronau o'r batri
trwy fwlb **P** ac yn ôl i'r batri. *Os oes rhaid i'ch bys fynd
trwy swits, yna mae angen y swits i roi'r golau ymlaen*.

i Pa swits sydd ei angen i oleuo bwlb **P**?

j Pa swits sydd ei angen ar gyfer bwlb **Q**?

Defnyddiwch yr un dull i ateb y cwestiynau hyn:

l Sut fyddech yn switsio bwlb **X** ymlaen?

ll Sut fyddech yn switsio bwlb **Y** ymlaen?

m Ydy'r bylbiau **X** ac **Y** wedi eu cysylltu mewn cyfres
neu yn baralel?

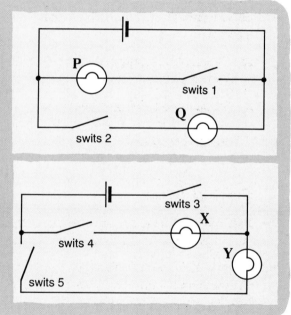

1 Copïwch a chwblhewch:
a) Mewn cylched drydan, mae ....
bach yn symud trwy'r gwifrau.
b) Os yw'r un cerrynt yn mynd trwy ddau
fwlb, yna mae'r bylbiau mewn .... .
c) Os yw'r cerrynt yn rhannu i fynd ar hyd
dau lwybr gwahanol, dywedwn fod y
llwybrau yn .... .

2 Cynlluniwch larwm sy'n achosi i gloch
drydan ganu os yw lleidr yn camu ar
fat y drws.

3 Mae fflachlamp yn cynnwys batri, swits
a bwlb mewn cyfres.
a) Gwnewch ddiagram cylched o hyn.
Beth os yw'r fflachlamp yn methu?
b) Disgrifiwch, gyda diagram, sut y gallech
brofi'r bwlb.
c) Sut allech chi brofi'r batri?

4 Mae ar Huw angen cylched ar gyfer ei
garafán fel y gall 3 bwlb, pob un a'i swits ei
hun, weithio oddi ar fatri car.
Gwnewch ddiagram cylched i Huw.

Pethau
i'w gwneud

Poethi

8d

Rydyn ni'n defnyddio trydan yn aml i wresogi pethau.

➤ Gwnewch restr o'r holl bethau yn eich cartref sy'n defnyddio trydan i gynhyrchu gwres.

Mae'r wifren denau y tu mewn i fwlb golau yn disgleirio'n wynias. Mae hyn yn digwydd oherwydd bod gan y wifren denau **wrthiant** i'r cerrynt. Wrth i'r electronau gael eu gwthio trwy'r wifren denau, maen nhw'n gwresogi'r wifren.

Mae gan ynysydd wrthiant uchel iawn, ac felly nid yw'r cerrynt yn gallu llifo. Ni all yr electronau fynd trwodd.

Mae gan wifren gopor wrthiant isel iawn. Mae'n ddargludydd da. Mae'r electronau'n gallu mynd trwodd yn hawdd.

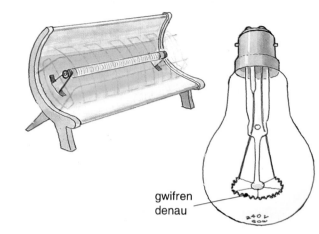

gwifren denau

Ymchwilio i wrthiant

Cysylltwch y gylched hon:

- Beth sy'n digwydd pan mae'r clipiau crocodeil yn agos at ei gilydd? Beth sy'n digwydd os ydych yn eu symud ar wahân?
- Ysgrifennwch adroddiad byr yn dweud beth wnaethoch chi a beth wnaethoch chi ei ddarganfod.

Mae gan eich cylched *wrthiant newidiol*. Gallwch newid maint y gwrthiant sydd ynddi.

Nawr edrychwch yn ofalus ar **wrthydd newidiol**. Sut mae'n gweithio?

Cysylltwch y gwrthydd newidiol i'ch batri a'ch bwlb.

Beth sy'n digwydd wrth symud y llithrwr? Pam?

Gwnewch ddiagram cylched o'r gylched hon.

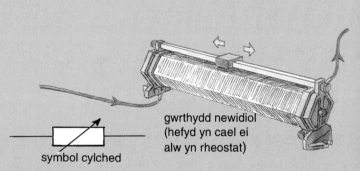

gwifren nicrom

gwrthydd newidiol (hefyd yn cael ei alw yn rheostat)

symbol cylched

Nawr edrychwch ar **amedr**. Mae amedr yn mesur maint cerrynt. Mae'n ei fesur mewn **amperau** (**A**).

Cysylltwch eich batri, bwlb, gwrthydd newidiol ac amedr mewn cyfres. *Gofalwch* gysylltu terfynell goch (+) yr amedr i derfynell + y batri.

Beth sy'n digwydd pan ydych yn newid y gwrthiant?

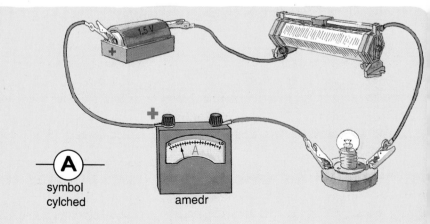

symbol cylched

amedr

Ffiwsys ar gyfer diogelwch

➤ Cysylltwch y gylched hon:

Gwisgwch sbectol ddiogelwch. Yna edrychwch yn ofalus ar y wifren denau gan bwyso'r swits. Beth sy'n digwydd?

gwifren denau iawn

➤ Ysgrifennwch beth rydych chi'n ei feddwl sy'n digwydd, gan ddefnyddio'r geiriau:

> **batri**   **cylched gyflawn**
> **cerrynt**   **amperau**   **gwresogi**

Mae'r wifren denau wedi ymdoddi neu *ffiwsio*. Pan mae'n ffiwsio, mae'n rhwystro'r cerrynt rhag llifo. Dyfais ddiogelwch ydyw. Rydyn ni'n ei galw yn **ffiws**.

Ffiws yw rhan wan cylched. Mae'n torri os oes nam sy'n gadael i ormod o gerrynt lifo.

Mae ffiws y tu mewn i bob plwg ar gyfer trydan y prif gyflenwad. Gallwch brynu ffiwsys o gryfderau gwahanol, e.e. 3 amp neu 13 amp. Mae ar lamp fwrdd neu deledu angen ffiws 3 A. Mae ar dân trydan angen ffiws 13 A.

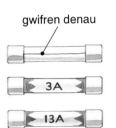

gwifren denau

3A

13A

Defnyddio'r ffiws anghywir mewn teledu?

Plwg ar gyfer y prif gyflenwad trydan

➤ Edrychwch yn ofalus ar y diagram o blwg ar gyfer y prif gyflenwad trydan:
Mae'n bwysig *iawn* fod y gwifrau lliw yn cael eu cysylltu â'r mannau cywir.

Pam mae daliwr y cordyn yn bwysig?

➤ Lluniwch boster diogelwch i'ch helpu i gofio'r ffordd gywir o wifro plwg.

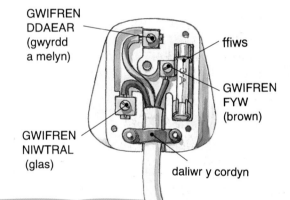

GWIFREN DDAEAR (gwyrdd a melyn)

ffiws

GWIFREN FYW (brown)

GWIFREN NIWTRAL (glas)

daliwr y cordyn

---

1 Copïwch a chwblhewch:

a) Mae gan ddargludydd da wrthiant .... .
Mae gan ynysydd wrthiant .... .

b) Gellir newid cerrynt mewn cylched drwy ddefnyddio gwrthydd .... (neu ....).

c) Mae amedr yn mesur y .... mewn cylched, mewn .... neu A.

ch) Mae ffiws yn .... os oes gormod o gerrynt.

d) Mewn plwg ar gyfer y prif gyflenwad trydan y wifren frown yw'r wifren .... , a rhaid iddi fynd i'r ffiws. Y wifren werdd/felen yw'r wifren .... a rhaid iddi fynd i'r pin .... . Y wifren las yw'r wifren .... .

2 Ble fyddech chi'n defnyddio gwrthydd newidiol (rheostat) mewn theatr? Gwnewch ddiagram cylched ar gyfer theatr tegan.

3 Gwnewch ddiagram cylched o'r gylched amedr ddefnyddioch chi. Labelwch y symbolau.

4 Beth allwch chi ei ddweud am drwch y wifren mewn ffiws 3 A o'i gymharu â ffiws 13 A? Pa un sydd â'r gwrthiant mwyaf?

5 Beth allai ddigwydd pe byddech yn rhoi ffiws 13 A mewn plwg ar gyfer teledu, a nam ar y teledu?

6 Gwnewch lun o gylched sy'n cynnwys batri, 2 fwlb yn baralel a phob un yn cael ei reoli gan swits, ac amedr i fesur cyfanswm y cerrynt sy'n cael ei gymryd gan y bylbiau. Ble fyddech chi'n rhoi gwrthydd newidiol i bylu un o'r bylbiau?

Pethau i'w gwneud

Ymchwilio i fatrïau

Mae batrïau yn hwylus i wneud trydan, ond maen nhw'n ddrud!

Mae cemegion y tu mewn iddyn nhw i storio egni. Pan rydych yn eu defnyddio mewn cylched, mae'r egni cemegol yn cael ei drosglwyddo yn egni trydanol.

➤ Gwnewch restr o'r holl bethau y gallwch feddwl amdanyn nhw sy'n defnyddio batrïau.

➤ Gwnewch ddiagram cylched ar gyfer fflachlamp.

➤ Gwnewch Ddiagram Trosglwyddo Egni ar gyfer fflachlamp. (Cliw: gweler tudalen 34.)

Mae batri'n gwneud cerrynt trydan nes bydd y cemegion o'i fewn wedi cael eu defnyddio i gyd.

Gellir *ailwefru* rhai batrïau. Mae'n bosibl eu hailwefru â thrydan fel eu bod yn gweithio eto. Mae batri car yn un y gellir ei ailwefru.

Mae batri'n gwthio electronau o amgylch y gylched. Mae maint y gwthiad yn cael ei fesur mewn **foltiau**.

Mae batrïau'n gwthio ag ychydig foltiau yn unig ac maen nhw'n ddiogel. Mae trydan y prif gyflenwad yn gwthio â 240 folt (240 V) ac felly mae'n beryglus iawn!

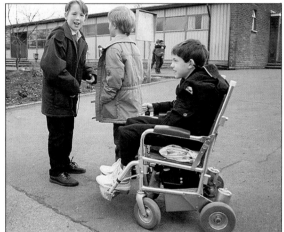

Defnyddio batri y gellir ei ailwefru

Defnyddio foltmedr

Cysylltwch **foltmedr** â batri. Gofalwch eich bod yn cysylltu terfynell goch (+) y foltmedr â therfynell + y batri. Beth welwch chi?

Mae'r foltmedr yn mesur pa mor galed mae'r batri'n gwthio'r electronau. Beth yw foltedd batri syml ('cell sych')?

Beth dybiwch chi fydd yn digwydd os yw dau fatri mewn cyfres yn gwthio'r *un* ffordd? Rhowch gynnig ar hyn. Beth ddarganfuoch chi?

Beth dybiwch chi fydd yn digwydd os yw dau fatri mewn cyfres ac yn gwthio i gyfeiriadau *dirgroes*? Rhowch gynnig ar hyn. Beth sy'n digwydd?

Beth yw foltedd pob batri yn y llun ar ben y dudalen hon?

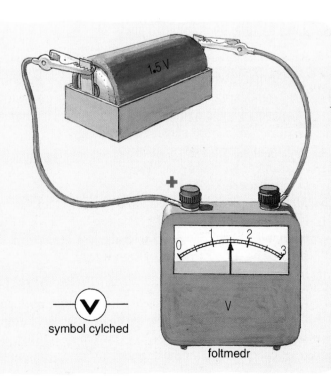

symbol cylched

foltmedr

Batrïau ffrwythau

Gallwch wneud batri syml drwy wthio 2 wahanol fetel i mewn i ffrwyth:

Rydych yn mynd i ymchwilio sut i gael y foltedd uchaf.

► Dewiswch **un** o'r ymchwiliadau.

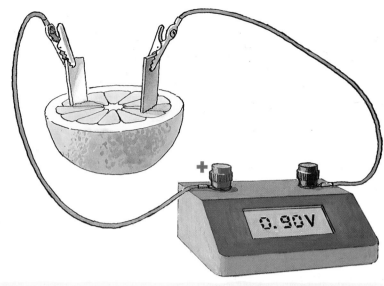

Yna cynlluniwch yr ymchwiliad:

• Penderfynwch beth rydych yn mynd i'w newid bob tro.

• Penderfynwch beth rydych yn mynd i'w fesur bob tro.

• Penderfynwch beth ddylech ei gadw yr un fath bob tro, i'w wneud yn brawf teg.

• Penderfynwch sut i gofnodi eich canlyniadau.

Dangoswch eich cynllun i'ch athro/athrawes ac yna ewch ati i wneud yr ymchwiliad.

Ymchwiliad 1

Pa ddau fetel sy'n rhoi'r foltedd uchaf?

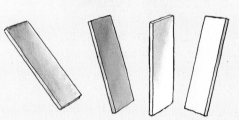

Ymchwiliad 2

Pa ffrwyth sy'n rhoi'r foltedd uchaf?

Ymchwiliad 3

Pa ffrwyth a metelau sy'n rhoi'r foltedd uchaf?

Wedyn:

• Ysgrifennwch adroddiad ar yr hyn wnaethoch chi a'r hyn ddarganfuoch chi.

• Gwnewch siart bar o'ch canlyniadau.

• Pa un oedd yn rhoi'r foltedd uchaf?

Copïwch a chwblhewch:

• Mae batri'n gwthio .... o amgylch cylched. Mae maint y gwthiad yn cael ei fesur mewn .... drwy ddefnyddio

• Foltedd y prif gyflenwad trydan yw .... folt ac felly mae'n .... iawn.

• Os yw dau fatri 3 folt yn gwthio gyda'i gilydd i'r un cyfeiriad, yna cyfanswm y foltedd yw .... folt.

2 Gwnewch ddiagram cylched o fatri sydd wedi ei gysylltu i foltmedr, gyda swits yn y gylched.

3 Mae batri 9 V wedi ei wneud o fatrïau 1.5 V bach. Gwnewch ddiagram yn esbonio hyn.

4 Cynlluniwch ymchwiliad i ddarganfod pa un yw'r gorau – prynu batri rhad neu fatri 'oes-hir'.

Pethau i'w gwneud

Cwestiynau

1 Cynlluniwch gêm bysgota fagnetig ar gyfer plant ifanc.
Gallech ddefnyddio magnet, clipiau papur, cerdyn, llinyn a ffon.
Gwnewch ddiagram a lluniwch reolau ar gyfer y gêm.

2 Lluniwch boster i rybuddio plant ifanc rhag dringo
peilonau trydan a mynd ar reilffyrdd trydan.

3 Lluniwch ddiagram wedi ei labelu o fwlb golau.
Pa rannau sy'n: (a) ynysyddion? (b) dargludyddion?

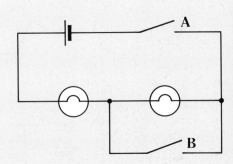

4 Yn y gylched a ddangosir yn y diagram, beth sy'n
digwydd os:
   a) bydd swits **A** yn unig yn cael ei gau?
   b) bydd swits **B** yn unig yn cael ei gau?
   c) bydd switsys **A** a **B** yn cael eu cau?
   ch) Ydy'r bylbiau mewn cyfres neu yn baralel?

5 a) Er diogelwch, mae angen 2 swits ar beiriant llifio trydan. Dyluniwch
      gylched fel bo rhaid i'r ddau swits fod ar gau i gychwyn y peiriant,
      ond mai un swits yn unig y bydd rhaid ei agor i stopio'r peiriant.
   b) Mae angen system larwm lladron ar fanc. Cynlluniwch gylched sydd â batri a
      chloch larwm y gellir ei switsio ymlaen gan ddau fotwm ar wahân.
   c) Pa un o'r cylchedau hyn (a neu b) fyddech chi'n gallu ei defnyddio ar gyfer
      switsys clychau drws ar gyfer eich drws cefn a'r drws ffrynt?

6 Mae'r diagram yn dangos un math o amedr.
Beth yw'r darlleniadau **a**, **b**, **c** ac **ch**?

7 Gwnewch ddiagram cylched i ddangos
sut y gellir goleuo dau fwlb 6 folt yn
ddisglair o ddau fatri 3 folt.

8 Mae pob un o'r darluniau isod yn dangos
sefyllfa beryglus. Ar gyfer pob un:
   (i) ysgrifennwch frawddeg yn nodi beth sy'n anghywir, a
   (ii) dywedwch sut i'w gwneud yn ddiogel.

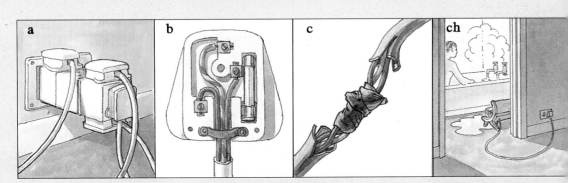

Mater

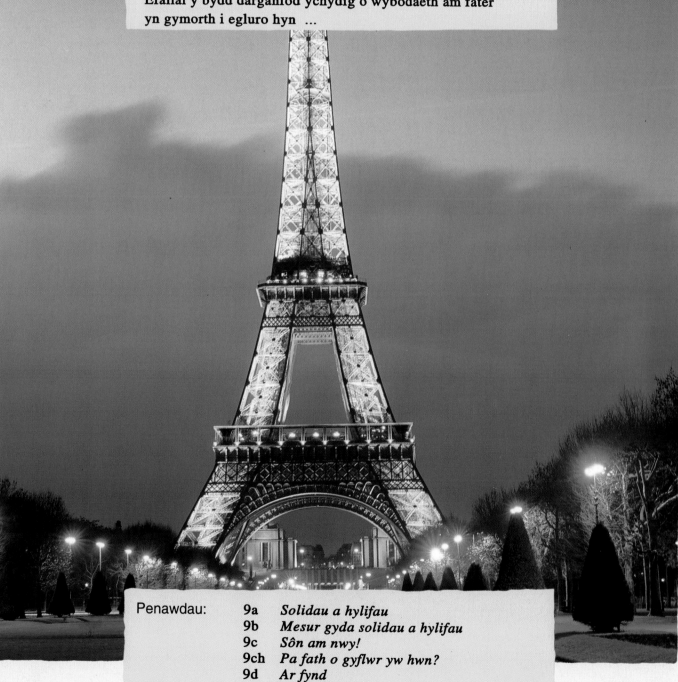

Mae Tŵr Eiffel ym Mharis tua 300 metr o uchder.
Oeddech chi'n gwybod bod ei uchder yn gallu newid?
Mae uchder y tŵr hwn yn fwy yn yr haf nag yn y gaeaf.
Gall y gwahaniaeth fod cymaint â 10 cm.
Efallai y bydd darganfod ychydig o wybodaeth am fater
yn gymorth i egluro hyn …

Penawdau:
9a   *Solidau a hylifau*
9b   *Mesur gyda solidau a hylifau*
9c   *Sôn am nwy!*
9ch   *Pa fath o gyflwr yw hwn?*
9d   *Ar fynd*
9dd   *A oes toddiant?*

Solidau a hylifau

Tybed ydych chi'n cofio **dosbarthu** defnyddiau? Roeddech yn edrych ar briodweddau defnyddiau. Yna roeddech yn gallu eu rhoi mewn grwpiau.

➤ Edrychwch ar yr adran 'Dosbarthu defnyddiau' (tudalen 22).

Ysgrifennwch rai o'r priodweddau ddefnyddioch chi i ddosbarthu'r defnyddiau.

➤ Edrychwch ar y ffotograffau hyn o bethau sy'n cael eu defnyddio yn y cartref.

Pa rai sy'n solidau? Pa rai sy'n hylifau?

Gwnewch dabl o'r atebion.

Efallai ei bod yn hawdd dweud pa rai sy'n solidau a pha rai sy'n hylifau. Ond gall fod yn anodd egluro **sut** y gallwch ddweud!

➤ Edrychwch ar y solidau a'r hylifau sydd gan yr athro/athrawes. Gan weithio mewn grwpiau, ysgrifennwch rai o'r gwahaniaethau rhwng y ffordd mae solid yn ymddwyn a'r ffordd mae hylif yn ymddwyn.

Dychmygwch eich bod yn athro/athrawes ar grŵp o blant 10 oed.

Meddyliwch am ychydig o brofion allai eich disgyblion eu gwneud er mwyn gwahaniaethu rhwng solidau a hylifau.

Cynlluniwch daflen waith sy'n dangos:

- pa gyfarpar fydd ar y disgyblion ei angen
- cyfarwyddiadau clir ar gyfer gwneud y profion
- canlyniadau tebygol ar gyfer y solidau
- canlyniadau tebygol ar gyfer yr hylifau.

Gofalwch fod y gwaith yn ddiddorol!

Gallech wneud diagramau, darluniau neu gartwnau ar y daflen.

Gallech osod ychydig o waith cartref hyd yn oed!

YSGOL Y FFRWD
Beth yw solid?
Profion:

Mae'n anodd dosbarthu rhai solidau a hylifau.

Beth am gwstard?

Mae'n bosibl i gwstard fod yn hylif.
Mae'n hawdd ei dywallt.
Gellir ei droi.
Mae'n cymryd siâp ei
gynhwysydd.

Os yw cwstard yn cael ei adael i galedu,
mae'n ymddwyn fel solid.
Nid yw'n bosibl ei dywallt.
Nid yw'n bosibl ei droi.
Mae ganddo ei siâp arbennig ei hun.

➤ Dyma gyfarwyddiadau i wneud cwstard sydyn:
a Sut mae gwneud y cwstard yn dewach?
b Sut mae gwneud y cwstard yn deneuach?
c Sut mae gofalu bod y cwstard yn llyfn?

Rhowch un pecyn mewn
jwg mesur. Ychwanegwch
DDŴR BERWEDIG
at y marc $^3/_4$ peint (425 ml).

Yn ôl Elin, "Mae Cremwhip yn gwneud cwstard tewach na Lyle."
"Ond os ydych yn hoffi cwstard tenau, Lyle yw'r gorau,"
meddai Morgan.

ch Cynlluniwch gyfarpar sy'n mesur pa mor dew yw hylif.
Gwnewch ddarlun ohono.
Eglurwch sut mae'n gweithio.
d Sut allech chi brofi syniad Elin?
dd Sut allech chi brofi syniad Morgan?

---

1 Llanwch y bylchau gyda'r gair 'hylifau'
neu 'solidau'.
Mae .... yn rhedegog.
Mae .... yn galed.
Gellir tywallt .... .
Mae .... yn cymryd siâp y cynhwysydd.
Nid yw'n bosibl troi .... .
Mae siâp penodol i .... .
Nid yw'n bosibl gwasgu .... na .... .

2 Mae'n anodd dosbarthu rhai sylweddau
yn hylifau a solidau. Mae cwstard yn un
enghraifft. Ysgrifennwch 3 enghraifft arall.

3 Ysgrifennwch baragraff am hylifau, gan
gynnwys y geiriau canlynol:

> gwlyb   tywallt   tew   tenau   diferu
> llifo   cynhwysydd   rhewi

4 Enwch
bob un
o'r rhain:

Pa un ohonyn nhw yw'r un gorau ar gyfer
mesur cyfaint hylif yn fanwl gywir?
Eglurwch pam.

**Pethau
i'w gwneud**

Mesur gyda solidau a hylifau

➤ Edrychwch yn ofalus ar y datganiadau canlynol.

Dywedwch a yw pob un yn **wir** neu'n **anwir**.

Eglurwch eich ateb ym mhob achos.

Trafodwch eich atebion gydag aelodau eraill eich grŵp. Ydy pawb yn cytuno?

- Mae'n cymryd mwy o amser i fesur màs siampŵ na mesur màs darn o bren.

- Mae'n cymryd mwy o amser i fesur cyfaint darn o graig na chyfaint dŵr.

- Mae darn o graig bob amser yn drymach na darn o blastig.

Cynhesu solid

Beth sy'n digwydd i hyd gwifren pan fydd yn cael ei gwresogi?

Dyfalwch beth fydd yn digwydd yn yr arbrawf gyferbyn.

Rhowch gynnig ar yr arbrawf.

Cynheswch y wifren gyda gwresogydd Bunsen.

Beth sy'n digwydd i hyd y wifren?

Defnyddiwch eich canlyniadau i ddarlunio:
- gwifrau rhwng peilonau trydan yn y gaeaf
- yr un gwifrau yn yr haf

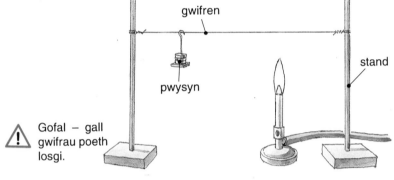

Gofal – gall gwifrau poeth losgi.

Cynhesu hylif

Llanwch diwb profi â dŵr.

Rhowch dopyn rwber, â thiwb gwydr drwyddo, yn y tiwb profi, fel y dangosir yn y diagram gyferbyn.

Rhowch farc ar lefel y dŵr uwchben y topyn.

Ceisiwch ragfynegi beth fydd yn digwydd pan fydd y tiwb yn cael ei roi mewn bicer o ddŵr poeth.

Rhowch gynnig ar yr arbrawf hwn.

Beth fydd yn digwydd i gyfaint yr hylif pan fydd yn cael ei gynhesu?

Beth fydd yn digwydd pan fydd yr hylif yn cael ei oeri eto?

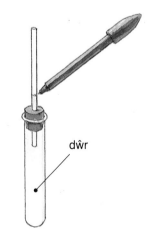

Pan fydd pethau'n mynd yn fwy o faint, dywedwn
eu bod yn **ehangu**.
Pan fydd pethau'n mynd yn llai, dywedwn
eu bod yn **cyfangu**.

Mae solidau a hylifau yn ehangu wrth gael eu gwresogi.

a Beth sy'n ehangu fwyaf, hylif neu solid?

Ymdoddi

Pan fydd rhai solidau'n cael eu gwresogi,
maen nhw'n troi yn hylifau.
Bryd hynny dywedwn eu bod yn **ymdoddi**.

➤ Gwnewch restr o 6 pheth welsoch chi'n ymdoddi,
e.e. menyn, ...

Yr enw ar y tymheredd pan fydd solid yn ymdoddi
(yn troi yn hylif) yw'r **ymdoddbwynt**.

Yr un yw'r tymheredd â'r tymheredd pan fydd hylif
yn rhewi (yn troi yn solid).

Mae'r tymheredd hwn hefyd yn cael ei alw yn **rhewbwynt**.

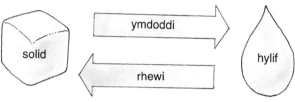

➤ Edrychwch ar yr ymdoddbwyntiau yn y tabl hwn.

b Pa sylwedd sydd â'r ymdoddbwynt isaf?
c Pa sylwedd sydd â'r ymdoddbwynt uchaf?
ch Mewn tywydd oer, beth sy'n rhewi gyntaf,
dŵr neu alcohol?
d Mae tymheredd ystafell fel arfer tua 25 °C. Pa sylweddau
o'r rhestr gyferbyn fydd yn hylifau ar y tymheredd hwn?
Pam nad yw'n bosibl bod yn hollol sicr?
dd O gael eu gwresogi o dymheredd ystafell, pa un sy'n
ymdoddi gyntaf, alwminiwm neu gopor?
e Beth fydd yn digwydd os ydych yn parhau i wresogi hylif?

Sylwedd	Ymdoddbwynt mewn °C
alwminiwm	660
iâ	0
alcohol	−117
haearn	1535
copor	1083
mercwri	−39
polythen	110

1 Copïwch a chwblhewch y brawddegau
gan ddefnyddio un o eiriau'r cromfachau.
a) Mae silffoedd popty yn dynnach os
yw'r popty yn (boeth/oer).
b) Mae hylifau a solidau yn .... wrth gael
eu cynhesu (ehangu/cyfangu).
c) Mae .... hylif yn cael ei fesur mewn cm³
(màs/cyfaint).
ch) Pan fydd solid yn ymdoddi mae'n ffurfio
.... (rhew/hylif).
d) Gall traciau rheilffordd blygu yn ....
(y gaeaf/yr haf).

2 Mae olew coginio ac alcohol yn ehangu
wrth gael eu gwresogi.
Cynlluniwch ymchwiliad i weld pa hylif
sydd yn ehangu fwyaf.

3 Eglurwch sut mae mesur cyfaint darn o
graig. Defnyddiwch ddiagramau i'ch helpu
gyda hyn.

4 Eglurwch pam mae hylifau'n cael eu
defnyddio mewn thermomedrau.

**Pethau
i'w gwneud**

5 Defnyddiwch y wybodaeth yn y tabl uchod
i lunio siart bar. Gosodwch y sylweddau yn
nhrefn yr ymdoddbwyntiau ar gyfer eich
siart bar.

Sôn am nwy!

Mae nwyon o'n hamgylch ym mhobman.

Mae'r aer rydych yn ei anadlu yn nwy.

Mae nwyon yn llenwi'r gofod y rhoddir nhw ynddo.

Mae nwyon yn cael eu creu pan fydd hylifau'n berwi.

HYLIF — berwi → ← cyddwyso — NWY

Yr enw ar y tymheredd y bydd hylif yn berwi arno yw'r **berwbwynt**.

Nwyon
hydrogen
ocsigen
aer
nitrogen
carbon deuocsid
clorin
heliwm
neon
oson
carbon monocsid

➤ Mae rhestr o rai nwyon yn y blwch gyferbyn.
Beth wyddoch chi amdanyn nhw?
Gwnewch lun i ddangos eich syniadau.
Gallech ddechrau fel hyn:

Gofynnwch i'ch athro/athrawes
am lyfrau os bydd angen.

anadlu *aer*
ocsigen

NWYON

Dau nwy pwysig yw cynnwys y rhan fwyaf o'r aer sydd o'n cwmpas. Mae tua 78% o'r aer yn **nitrogen**, a thua 21% o'r aer yn **ocsigen**. Mae gweddill yr aer wedi ei ffurfio o nwyon eraill fel carbon deuocsid a heliwm.

Mae nwyon yn llawer ysgafnach na solidau a hylifau.
Mae màs gwahanol nwyon yn wahanol hefyd.
Mae nitrogen ychydig yn ysgafnach nag ocsigen
ac mae heliwm yn nwy ysgafn iawn.
Mae carbon deuocsid yn nwy trwm.

Ble mae'r aer?

➤ Allwch chi ddim gweld y nwyon sydd yn yr awyr. Sut mae gwybod bod yr aer yno felly?

Trafodwch hyn o fewn eich grŵp.
Defnyddiwch y ffotograffau hyn i'ch helpu.

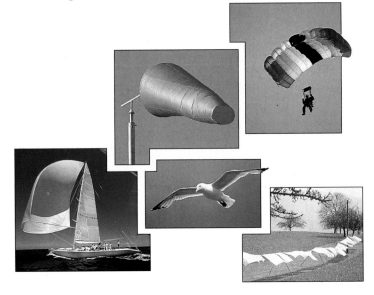

Ble mae'r aer?

Ydy aer yn ehangu wrth ei gynhesu?

Rhagfynegwch beth fydd yn digwydd yn yr arbrawf hwn.

Defnyddiwch fflasg gyda thopyn a thiwb gwydr ynddi.
Rhedwch ddŵr oer am 3 munud dros y fflasg.

Rhowch y tiwb gwydr mewn bicer o ddŵr. Cynheswch y tu allan i'r fflasg gyda'ch dwylo.

Rhowch gynnig ar yr arbrawf.
Eglurwch yr hyn rydych yn ei weld.

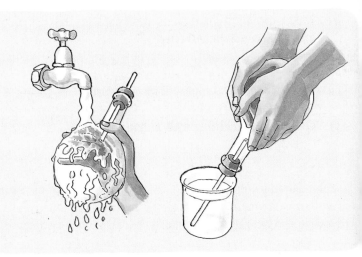

Gwneud ocsigen

Ocsigen yw'r nwy pwysicaf yn yr aer. Rhaid i ni ei gael er mwyn anadlu. Dyma sy'n ein cadw'n fyw.

Yn yr arbrawf hwn byddwch yn gwneud nwy ocsigen. Cewch gyfle hefyd i brofi a oes ocsigen i'w gael.

Bydd eich athro/athrawes yn dangos i chi sut i "gasglu nwy dros ddŵr".

- Rhowch 2 lond sbatwla o bowdr du mewn fflasg gonigol.

- Rhowch dopyn, twndis ysgall a thiwb cludo yn y fflasg (gweler y diagram).

- Llanwch ychydig o diwbiau profi gyda dŵr. Byddwch yn defnyddio'r rhain i gasglu'r ocsigen.

- Gosodwch y cyfarpar ar gyfer casglu'r nwy.

- Tywalltwch yr hydrogen perocsid i'r twndis ysgall.
  Peidiwch â chasglu'r ychydig swigod cyntaf o nwy. Pam?

- Casglwch 2 neu 3 o diwbiau o nwy ocsigen. Rhowch dopyn ym mhob tiwb. Rhowch y tiwbiau mewn rhesel tiwbiau profi.

- Taniwch sbilsen. Diffoddwch y fflam ei hun gan adael y blaen yn mudlosgi.

- Rhowch y sbilsen yn y tiwb. Beth welwch chi?

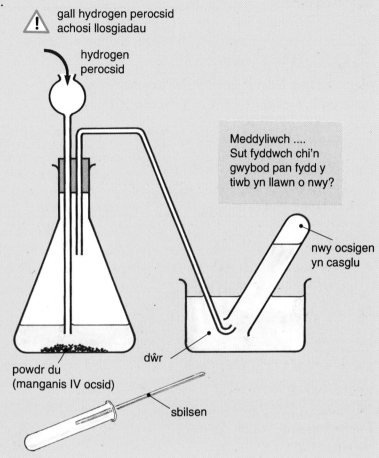

⚠ gall hydrogen perocsid achosi llosgiadau

hydrogen perocsid

Meddyliwch ....
Sut fyddwch chi'n gwybod pan fydd y tiwb yn llawn o nwy?

nwy ocsigen yn casglu

dŵr

powdr du (manganis IV ocsid)

sbilsen

Pethau i'w gwneud

1 Copïwch a chwblhewch:

a) Mae aer yn cynnwys 2 brif nwy, sef .... a .... .

b) .... yw enw'r nwy rydyn ni'n ei anadlu.

c) Mae .... yn cael ei anadlu allan.

ch) Nid yw'n bosibl disgrifio siâp nwy oherwydd .... .

d) Mae nwyon yn .... wrth gael eu cynhesu.

2 Roedd Laura wedi yfed ei lemwnêd i gyd. Yn ôl Laura, roedd ei photel yn wag. Ydy Laura'n gywir?

3 Pa un yw'r trymaf?

aer   ocsigen

Eglurwch eich syniadau.

4 Mae gan Mared 3 balŵn sydd wedi eu llenwi â gwahanol fathau o nwyon. Pa falŵn sy'n cynnwys:

a) aer?

b) heliwm?

c) carbon deuocsid?

5 Lluniwch siart cylch i ddangos o beth mae'r aer wedi ei ffurfio. Labelwch y gwahanol adrannau yn 'ocsigen', 'nitrogen' a 'nwyon eraill'.

Pa fath o gyflwr yw hwn?

Gallwn ddisgrifio sylweddau fel **solidau, hylifau** neu **nwyon**.
Dyma'r 3 **chyflwr mater**.

Solidau	Hylifau	Nwyon

➤ Meddyliwch am y gwaith rydych wedi ei wneud gyda
solidau, hylifau a nwyon yn y bennod hon.

Gan weithio mewn grwpiau, casglwch wybodaeth am eu
priodweddau. Gwnewch dabl i ddangos y gwahaniaeth
rhwng priodweddau'r 3 chyflwr.

Gadewch le yn eich tabl i ychwanegu ato.

Gronynnau

Rydych eisoes wedi gweld bod solidau, hylifau a nwyon
yn ymddwyn mewn ffyrdd gwahanol.

Mae gwyddonwyr yn egluro'r gwahaniaethau trwy ddefnyddio
damcaniaeth. Maen nhw'n credu bod popeth (solidau,
hylifau a nwyon) wedi ei ffurfio o **ronynnau** mân.

Mae'r gronynnau mewn solidau, hylifau a
nwyon wedi eu trefnu mewn ffyrdd gwahanol.

Mae'r 3 darlun gyferbyn yn dangos
y 3 ffordd hon:

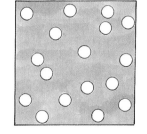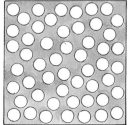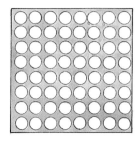

➤ Yn eich grwpiau, trafodwch
pa un yw'r:
- solid
- hylif
- nwy.

Dylai eich tabl fod o gymorth i chi wrth wneud hyn.

Gofynnwch i'ch athro/athrawes a yw eich syniadau'n gywir.

➤ Copïwch y 3 threfniant o ronynnau a ddangosir uchod. Labelwch bob
un yn solid, hylif neu nwy.

Yn eich barn chi, ydy gronynnau yn symud mewn   ... solidau?

  ... hylifau?

  ... nwyon?

Rhowch resymau.

Ydy hi'n bosibl gwasgu solidau, hylifau a nwyon?

- Rhowch y caead yn dynn ar botel blastig sy'n llawn o aer.

- Gwasgwch y botel gyda'ch dwylo.
  Trwy wneud hyn, rydych yn **cywasgu**'r aer yn y
  botel (gwasgu'r aer i lai o le).

- Nawr llanwch y botel â dŵr.
  Rhowch y caead yn ôl yn dynn eto.
  Ceisiwch wasgu'r botel.

- Ydy gwasgu'r botel yn haws neu yn anoddach nawr?
  Cymharwch aer gyda dŵr. Pa un yw'r hawsaf i'w gywasgu?

- Defnyddiwch ddarn o graig. Gwasgwch hwn yn eich dwylo.
  Ydy cywasgu craig yn waith anodd neu'n waith hawdd?

- Rhowch solidau, hylifau a nwyon mewn trefn:

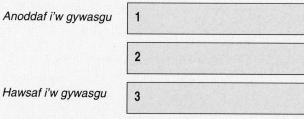

Anoddaf i'w gywasgu	1
	2
Hawsaf i'w gywasgu	3

- Rhowch y wybodaeth hon yn eich tabl.

- Edrychwch ar y diagramau gronynnau. Defnyddiwch nhw i egluro trefn y rhestr uchod.
  (Awgrym: meddyliwch am y gofod rhwng y gronynnau.)

---

1 Copïwch a chwblhewch y canlynol gan
ddefnyddio rhai o'r geiriau isod:

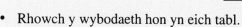

ymdoddbwynt	talpiau	mawr	bach
solidau	nwyon	hylifau	gronynnau
yr un fath	gwahanol	dau	berwbwynt

a) Tri chyflwr mater yw ...., ... a .... .
b) Mae .... a .... yn fwy anodd i'w
    cywasgu na .... .
c) Mae popeth wedi ei ffurfio o .... .
ch) Mae'r gronynnau yn .... iawn.
d) Y tymheredd pan fydd solid yn troi'n
    hylif yw'r .... .
dd) Y tymheredd pan fydd hylif yn troi'n
    nwy yw'r .... .

2 Pa un o'r canlynol yw'r gorau ar gyfer
llenwi teiers beic? Pam?

| dŵr | aer wedi'i gywasgu | pren |

3 Mae'r label ar botel lemwnêd yn dangos
ei fod yn cynnwys y canlynol:

```
dŵr, asid citrig, blasynnau,
carbon deuocsid, melysydd artiffisial
```

a) Enwch un sylwedd yn y rhestr sydd yn:
    i) hylif ii) nwy.
b) Fel arfer mae llawer o siwgr mewn
    diodydd ffisiog. Pa sylwedd yn y rhestr
    sy'n cael ei ddefnyddio yn lle siwgr?
c) Pam nad yw siwgr yn cael ei
    ddefnyddio yma?
ch) Ai solid, hylif neu nwy yw siwgr?
d) Sut mae profi bod carbon deuocsid
    yn bresennol?
    (Awgrym: edrychwch ar dudalen 27.)

> Pethau
> i'w gwneud

117

Ar fynd

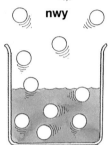

nwy

Beth oedd eich penderfyniad ynglŷn â gronynnau?

Ydyn nhw'n gallu symud? Yn ôl gwyddonwyr, mae gronynnau yn symud.

solid

Mae'r gronynnau sydd mewn solid yn agos at ei gilydd. Dydy'r rhain ddim yn symud o gwmpas ond maen nhw'n dirgrynu.

hylif

Mae'r gronynnau mewn hylif yn symud, ond maen nhw'n dal i fod yn weddol agos at ei gilydd.

Mae gronynnau nwy yn symud yn gyflym, ac i bob cyfeiriad. Mae'r gronynnau hyn yn bellach oddi wrth ei gilydd.

➤ Edrychwch ar y lluniau isod. Mae pob un yn rhoi cliw i chi sut mae gronynnau nwy yn symud.

Mae ei phersawr hi braidd yn gryf.

llun 1

Arogl hyfryd.

llun 2

PETROLEW FFLAMADWY IAWN

DIM YSMYGU

llun 3

TANCER MEWN DAMWAIN

Roedd y tancer yn cludo amonia. Gall y nwy hwn effeithio ar lygaid ac ar y system anadlu. Cafodd pawb oedd yn byw o fewn 3 milltir i'r ddamwain eu symud o'u cartrefi.

llun 4

Mae'r darluniau hyn yn dweud wrthym bod gronynnau nwy yn symud ac yn cymysgu.
Mae hyn yn digwydd heb iddyn nhw gael eu troi neu eu hysgwyd.
Yr enw ar hyn yw **trylediad**.
Dywedwn fod nwy yn **tryledu**. Gallen ni hefyd ddweud bod "arogl persawr yn **tryledu** trwy'r ystafell".

a Ysgrifennwch tua 2 linell yn egluro beth sy'n digwydd i'r gronynnau nwy yn llun 1.

b Mae arogl hyfryd ar y rhosod yn llun 2. Darluniwch nhw gan ddangos sut mae eu harogl yn ymledu trwy'r ystafell. Defnyddiwch smotiau i ddangos y gronynnau.
(Awgrym: mae llawer o smotiau yn golygu bod yr arogl yn gryf.)

c Pam mae'r arwydd "Dim ysmygu" mor bwysig wrth yr orsaf betrol yn llun 3?

ch Edrychwch ar lun 4. Pam roedd pobl oedd yn byw 3 milltir o'r ddamwain wedi cael eu symud o'u cartrefi?

d Meddyliwch am arbrofion allech eu cynnal i weld a yw hylifau neu solidau yn tryledu.
Ysgrifennwch:
  • sut fyddech yn cynnal yr arbrawf
  • sut fyddech yn gwybod bod trylediad yn digwydd.

I ble'r aeth e'?

➤ Meddyliwch am ronynnau sy'n symud.
Trafodwch y cwestiynau hyn yn eich grwpiau.

- Pam mae siwgr yn diflannu mewn cwpanaid o de?
- I ble mae'r gronynnau siwgr yn mynd?
- Ydy siwgr yn diflannu yn gynt mewn te oer neu mewn te poeth?
- Ydy gronynnau siwgr yn symud yn gynt mewn te oer neu mewn te poeth?

Pan fydd rhai solidau yn cael eu rhoi mewn hylif tebyg i ddŵr, maen nhw'n mynd yn llai. Mae rhai solidau'n diflannu. Os yw'r solid yn diflannu, dywedwn ei fod wedi **toddi**.

Toddiant yw'r enw ar yr hylif sydd i'w gael wedi i'r solid doddi.

Ymchwilio i doddiannau

Roedd Owain yn astudio toddiannau.

Rhododd ddŵr mewn bicer hyd at y marc 200 cm³.

Yna, defnyddiodd glorian i ddarganfod màs y bicer + dŵr.

Màs y bicer + dŵr = ___ g

Ychwanegodd ronynnau o siwgr at y dŵr. Cymysgodd y dŵr hyd nes roedd y siwgr wedi diflannu. Roedd wedi toddi.

Defnyddiodd glorian i ddarganfod màs y bicer + y toddiant siwgr.

Màs y bicer + toddiant siwgr = ___ g

dd Rhagfynegwch ganlyniadau Owain.
Fydd y màs yn aros yr un fath?
... yn mynd yn llai?
... yn mynd yn fwy?

e Eglurwch eich ateb.

Rhowch gynnig ar wneud arbrawf Owain eich hun.

f Beth oedd y canlyniad?

---

1 Dewiswch y gair cywir i ddisgrifio pob un o'r canlynol:

Disgrifiad	Gair
a) solid yn diflannu mewn hylif	tryledu
b) gronynnau yn symud ac yn cymysgu	rhagfynegi
c) yr hylif sy'n ffurfio wedi i solid doddi ynddo	màs
ch) dweud beth feddyliwch sy'n mynd i ddigwydd	toddiant
d) mesuriad sy'n cael ei mewn gramau	toddi

2 Edrychwch ar yr hyn sydd yng nghypyrddau eich cegin.
Oes yna labeli neu gynwysyddion sy'n cyfeirio at doddi (*dissolve*)?
Ysgrifennwch yr hyn sy'n cael ei ddweud.

Cynnyrch	Nodiadau ynglŷn â thoddi
glanhäwr popty	yn toddi saim

3 Mae ciwb o siwgr yn toddi mewn dŵr.
Beth allech chi ei wneud er mwyn iddo doddi yn gynt?
Rhestrwch eich syniadau.

Pethau i'w gwneud

A oes toddiant?

Roedd Meic, Pat a Chung yn siarad am **doddi** gwahanol bethau.

Mae'n digwydd pan fydd solid yn troi yn hylif.

Na, ymdoddi yw hynny.

...Efallai bod toddi ac ymdoddi yn golygu yr un peth.

Pwy, yn eich barn chi, oedd yn iawn?

➤ Dychmygwch mai chi yw'r athro/athrawes.

Ceisiwch egluro'r gwahaniaeth rhwng toddi ac ymdoddi.

Ysgrifennwch yr hyn allech ei ddweud wrth y tri ohonyn nhw.

Gwneud toddiant

Yn yr arbrawf hwn, gallech brofi rhai solidau i weld ydyn nhw'n toddi mewn dŵr.

- Llanwch diwb profi at ei hanner â dŵr.

- Ychwanegwch 1 llond sbatwla o solid at y dŵr.

- Ysgydwch y tiwb yn ofalus am 1 munud.

- Edrychwch i weld a oes peth o'r solid wedi diflannu. Os hynny, mae'n rhaid ei fod wedi **toddi.**

- Gwnewch yr arbrawf eto gyda solidau eraill.

Mae solidau sydd yn toddi yn cael eu galw yn solidau **hydawdd.**
Mae'r rhai sydd ddim yn toddi yn cael eu galw yn solidau **anhydawdd.**

a Pa solidau sy'n hydawdd mewn dŵr?
b Pa solidau sy'n anhydawdd mewn dŵr?
c Yn ôl Pat, "Gallech ddefnyddio'r arbrawf hwn i ddarganfod pa sylwedd yw'r un mwyaf hydawdd."
Oedd Pat yn gywir?
Rhowch air o gyngor i Pat ynglŷn â sut i wella'r arbrawf.

Weithiau mae'n anodd dweud a yw solid wedi toddi ai peidio.

ch Sut allech chi brofi a yw solid wedi toddi ai peidio?

Mae peth solid ar ôl eto. Oes yma lai nag ar y dechrau tybed?

Mae'n ffaith!

Yn 1949 cyhuddwyd gŵr o lofruddiaeth. Roedd wedi toddi corff y person a laddodd mewn asid sylffwrig crynodedig. Meddyliodd na fedrai gael ei gyhuddo o lofruddiaeth am y rheswm nad oedd corff i'w gael.

... Ond dydy asid sylffwrig ddim yn toddi popeth. Daeth yr heddlu o hyd i ddannedd gosod y person a gafodd ei ladd. Cafwyd y llofrudd yn euog o'r drosedd!

Toddi

Tybed ydych chi'n cofio'r gair damcaniaeth? (Edrychwch ar dudalen 14 eto.)
Syniadau yw'r rhain am bethau sydd bob amser yn digwydd.

Gallwch lunio damcaniaeth. O'r ddamcaniaeth hon gallwch **ragfynegi**.
Yna gallwch ymchwilio i weld ydy hyn yn wir ai peidio.

Damcaniaethu — Mae fflachlamp bob amser yn gweithio'n dda gyda batriau newydd.

Rhagfynegi — Dydy'r fflachlamp ddim yn gweithio. Bydd yn gweithio os bydd batriau newydd ynddi.

Ymchwilio — Wel dyna dro! Does yna ddim golau eto. Mae'n rhaid bod fy namcaniaeth i yn anghywir.

Roedd gan Meic ddamcaniaeth ynglŷn â'r broses o doddi.
Dyma ddywedodd, "Rydw i'n meddwl bod pethau'n toddi yn gynt os ydyn nhw'n cael eu cymysgu."
Ydy'r hyn mae Meic yn ei ddweud yn gywir?

Meddyliwch am *eich gwaith chi* ar doddi. Ysgrifennwch eich damcaniaeth eich hun ynglŷn â hyn.
Defnyddiwch eich syniadau ynghylch gronynnau i ragfynegi beth fydd yn digwydd.

Cynlluniwch ymchwiliad i brofi eich rhagfynegiad.

Gofynnwch i'ch athro/athrawes am gael rhoi cynnig ar wneud yr ymchwiliad.

---

1 Copïwch a chwblhewch:
a) Mae solidau sy'n toddi yn cael eu galw yn solidau ....
b) Nid yw solidau .... yn toddi.
c) Mae solid yn toddi os yw'n ....

2 Cynlluniwch ymchwiliad i brofi damcaniaeth Meic ynglŷn â thoddi.

3 Lluniwch ddiagram gronynnau i ddangos beth, yn eich barn chi, sy'n digwydd pan:
a) mae solid yn ymdoddi
b) mae solid yn toddi mewn dŵr.

4 Edrychwch yn ofalus ar y chwilair. Chwiliwch am gymaint o eiriau ag sy'n bosibl ar y pwnc hwn. Dylech gael 11. Peidiwch ag ysgrifennu ar y llyfr.

H	Y	D	A	W	Dd	S	L
T	M	C	B	T	Rh	Y	O
O	D	L	N	R	E	M	T
Dd	O	N	W	Y	W	U	O
I	Dd	S	O	L	I	D	Dd
A	I	R	B	E	R	W	I
N	E	C	E	D	G	P	N
T	R	O	I	U	H	Y	E

Pethau i'w gwneud

Cwestiynau

1 Ysgrifennwch baragraff am solidau gan ddefnyddio'r geiriau canlynol:

> cymysgu tywallt siâp ymdoddi cyfangu
> rhewi dŵr iâ ehangu

2 Dewiswch un o'r nwyon y clywsoch sôn amdanyn nhw. Lluniwch boster ar gyfer plant 10 oed yn egluro popeth am y nwy hwn, a'r ffordd mae'n cael ei ddefnyddio.

3 Eglurwch y brawddegau canlynol.
a) Mae gwresogi caead metel ar jar wydr yn gymorth i dynnu'r caead.
b) Mae Tŵr Eiffel yn llai yn ystod y gaeaf na'r haf.
c) Gall eisin ar gacen redeg i lawr yr ochr.

4 Cynlluniwch ymchwiliad i ddarganfod faint o nwy sy'n cael ei gynhyrchu gan un tun o ddiod ffisiog.

5 Mae grisial porffor yn cael ei roi mewn bicer o ddŵr. Mae'n dechrau toddi.
Lluniwch ddiagramau i ddangos beth, yn eich barn chi, fydd yn digwydd:
a) ar ôl 10 munud
b) ar ôl 2 awr
c) ar ôl 2 wythnos.

6 Cynlluniwch ymchwiliad i ddangos sut mae tymheredd dŵr yn effeithio ar ba mor gyflym mae solid yn toddi ynddo.

7 Beth sy'n gwneud trafodaeth grŵp dda?
Yn y bennod hon, rydych wedi trafod llawer o syniadau a phroblemau. Lluniwch restr o bwyntiau i edrych amdanyn nhw, y gallai eich athro/athrawes eu defnyddio wrth edrych pa mor dda am drafod rydych chi.

Beth yw eich amgylchedd?

Mae'n cynnwys eich tŷ, eich ysgol, eich stryd – mewn gwirionedd, popeth sydd o'ch cwmpas.

Mae eu hamgylchedd yn effeithio ar anifeiliaid a phlanhigion.

Mae'r bennod hon yn ymwneud â sut mae pethau byw yn dibynnu ar eu hamgylchedd i oroesi.

gwalch glas

lindys

glöyn byw

dail y dderwen

y wiwer

sgrech y coed

robin goch

mesen

mochyn daear

madarch

neidr y gwair

carlwm

glaswellt

cen y cerrig

briallu

broga

pryf

llyffant

gwlithen

llygoden bengron goch

Penawdau:
- 10a *Lle i fyw*
- 10b *Tro'r tymhorau*
- 10c *Pwy sy'n bwyta pwy?*
- 10ch *Pethau'n pydru*
- 10d *O'r pridd ... i'r pridd*

mwyar duon

bysedd y cŵn

Lle i fyw

Enw'r lle mae planhigyn neu anifail yn byw ynddo yw ei **gynefin**.
Rhaid i'r **cynefin** gynnwys popeth sydd ar y peth byw ei angen i oroesi.

➤ Mae eich tŷ yn rhan o'ch cynefin. Beth mae'n ei roi i chi?

➤ Gwnewch restr o rai o'r pethau sydd ar anifeiliaid eu hangen i oroesi.
Gwnewch restr o rai o'r pethau sydd ar blanhigion eu hangen i oroesi.

➤ Edrychwch ar y ffotograffau ac ysgrifennwch sut mae pob peth byw
yn gallu goroesi yn ei gynefin ei hun.

Mae planhigion cactws yn byw mewn cynefinoedd
sych. Pigau miniog yw eu dail. Maen nhw'n storio
dŵr y tu mewn i'w coesynnau trwchus.

Mae llawer o adar y coetir yn adeiladu
eu nythod mewn tyllau yn y coed.

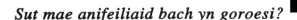

Mae ceffylau dŵr bolwyn yn byw mewn pyllau.
Maen nhw'n nofio at arwyneb y dŵr yn aml iawn.

Sut mae anifeiliaid bach yn goroesi?

Mae anifeiliaid bach yn byw mewn cynefinoedd o gwmpas eich ysgol.
Am eu bod nhw'n byw yno yn llwyddiannus, rydyn ni'n dweud eu bod
nhw wedi **ymaddasu** i'r cynefin. Fyddan nhw ddim yn hawdd i'w gweld.
Mae llawer o greaduriaid bach yn cuddio mewn glaswellt hir, o dan ddail
ac mewn craciau mewn rhisgl neu greigiau. Mae llawer yn dod allan yn
y nos yn unig. Dyma rai dulliau o ddod o hyd i anifeiliaid. Dewiswch
yr un sy'n gweddu orau i'r cynefin.

Mae cythreuliaid y môr yn byw yn y môr
dwfn. Does dim planhigion yn byw yno
gan ei bod hi bob amser yn dywyll.

Pwteri
Cynwysyddion bach yw'r rhain gyda dau diwb ynghlwm wrthyn nhw.
Rydych chi'n sugno drwy un tiwb ac yn pwyntio'r llall at yr anifail
bach rydych am ei gasglu. Mae'r rhwyllen yn gwneud yn siŵr nad
ydych yn cael llond ceg o bryfed. Gwnewch yn siŵr eich bod yn
sugno drwy'r tiwb iawn!

Rhwydo
Mae llawer o bryfed yn cuddio mewn glaswellt. Mae rhwyd
gref yn cael ei thynnu drwy'r glaswellt tua 10 gwaith
fel y bydd y pryfed yn disgyn i mewn i'r rhwyd.
Gallwch ddefnyddio pwter i'w casglu nhw o'r rhwyd.

Taro coed

Mae llawer o anifeiliaid bach yn cael eu bwyd mewn coed a llwyni. Gallwch eu casglu drwy osod cynfas wen o dan gangen ac ysgwyd neu daro'r gangen gyda ffon fel y bydd yr anifeiliaid yn disgyn allan. Gofalwch beidio â gwneud difrod i'r gangen. Casglwch yr anifeiliaid gyda phwter.

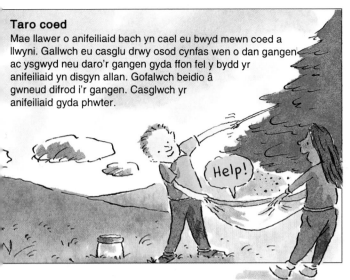

Dal mewn twll

Gallwch osod potiau iogwrt mewn tyllau yn y ddaear. Rhaid i rimyn y pot fod yn lefel ag arwyneb y pridd.

Edrychwch ar y llun. Sut, dybiwch chi, mae'r anifeiliaid bach yn cael eu dal?

Peidiwch â suddo'r rhimyn yn is na lefel y pridd, neu fe allai dŵr fynd i mewn i'r pot iogwrt. Gadewch y 'trap' allan dros nos.

➤ Defnyddiwch chwyddwydr i astudio'r anifeiliaid rydych wedi eu casglu.

Gofalwch nad ydych chi'n gwneud niwed iddyn nhw.

Bydd eich athro/athrawes yn rhoi taflen i chi, a fydd o gymorth i chi ddod o hyd i'w henwau.

➤ Ble yn union maen nhw i'w cael? Ydyn nhw'n byw ar blanhigion bwyd arbennig? Ydyn nhw wedi'u cuddio yn dda? Os ydyn nhw, pam?

Ym mha amgylchiadau maen nhw'n hoffi byw?

Pa un sydd orau ganddyn nhw – y golau neu'r tywyllwch? Lle sych neu le llaith?

➤ Cofnodwch eich atebion mewn tabl fel hwn:

Enw'r anifail	Nifer yn y sampl	Sut mae wedi ymaddasu i fyw yn ei gynefin?
Cantroed	2	Yn symud yn gyflym iawn ar lawer o goesau. Mae ganddo enau mawr.

Rhowch yr holl anifeiliaid, heb eu brifo, yn ôl yn y mannau lle cawsoch chi hyd iddyn nhw.

---

1 Cysylltwch y pethau byw canlynol gyda'u cynefinoedd cywir:

mwsogl	pwll dŵr
brithyll	clawdd
gwiwer	llwybr
broga	nant
dant y llew	wal
draenen wen	coedwig

2 Rhestrwch rai amgylchiadau sy'n gwneud bywyd yn anodd yn y cynefinoedd canlynol:

a) nant   c)   pwll glan môr

b) clawdd   ch) mynydd.

3 Mae anturiaethwyr wedi gallu goroesi mewn amgylchiadau anodd iawn. Sut maen nhw wedi llwyddo i fyw:

a) yn y gofod?

b) ar waelod y môr?

c) yn yr Arctig rhewllyd?

4 Ysgrifennwch lythyr at eich ffrind ar y blaned Zorgan. Eglurwch sut amgylchiadau sydd ar y Ddaear. Siaradwch am eich cynefin eich hun a'r anifeiliaid a'r planhigion sydd yn ei rannu gyda chi.

Pethau i'w gwneud

Tro'r tymhorau

A

B

C

Ch

Pan fyddwn ni'n sylwi bod y tywydd yn mynd yn oerach yn y gaeaf, rydyn ni'n gwisgo dillad cynhesach. Ond sut mae anifeiliaid a phlanhigion yn goroesi drwy'r newidiadau hyn?

➤ Edrychwch ar y 4 ffotograff hyn. Trafodwch gyda'r lleill yn eich grŵp ym mha dymor y tynnwyd pob ffotograff. Rhowch resymau dros eich dewis.

Planhigion yn y gaeaf

Mae gardd yn y gaeaf yn edrych yn llwm iawn o'i chymharu â gardd yn yr haf. Mae'n ymddangos fel pe bai llawer o blanhigion wedi diflannu. Mae llawer o'r rhai y gallwch eu gweld wedi colli eu dail i gyd. Beth, yn eich barn chi, yw'r rheswm dros hyn?

Mae llawer o blanhigion yn goroesi'r gaeaf fel hadau yn y ddaear. Beth fydd yn digwydd i'r rhain y gwanwyn neu'r haf nesaf?

➤ Edrychwch ar y llun hwn o genhinen Pedr. Sut rydych chi'n meddwl mae hi'n gallu aros yn fyw o dan y ddaear yn y gaeaf?

Mae llawer o goed yn colli eu dail er mwyn goroesi yn y gaeaf. Maen nhw'n tyfu dail newydd yn y gwanwyn.

➤ Rhestrwch dair coeden sy'n colli eu dail yn y gaeaf. Rhestrwch dair coeden neu lwyn sy'n cadw eu dail drwy'r flwyddyn. Edrychwch ar rai o'r dail hyn. Ysgrifennwch eich syniadau ynghylch pam maen nhw'n ddail da ar gyfer y gaeaf.

Cysgodi'r hadau rhag y rhew!

Fel arfer, ar ddiwedd y gwanwyn y bydd garddwyr yn hau hadau pys. Trwy wneud hyn, ni fydd rhew yn difa'r planhigion pys ifanc. Mae'r planhigion yn tyfu ac mae modd casglu'r pys newydd yn yr haf.

Mae rhai amrywogaethau newydd o hadau pys yn gallu goroesi rhew. Mae hyn yn golygu bod modd eu hau yn gynharach yn y flwyddyn. Sut fyddai hyn yn ddefnyddiol i'r garddwr?

Cynlluniwch ymchwiliad i ddarganfod pa mor dda mae hadau yn goroesi rhew. Cofiwch ei wneud yn brawf teg.

Pa amgylchiadau eraill allai effeithio ar dwf yr hadau?

Pa mor hir fydd eich ymchwiliad yn para?
Meddyliwch sut i gofnodi eich canlyniadau.
Dangoswch eich cynllun
i'r athro/athrawes.

Yna dechreuwch eich ymchwiliad.

Gaeafgysgu

I ble mae'r pryfed gwyrdd yn mynd yn y gaeaf? Maen nhw'n dodwy wyau sydd â chôt wydn i oroesi'r oerni. Yna mae'r hen bryfed gwyrdd yn marw a daw pryfed gwyrdd newydd o'r wyau yn y gwanwyn.

Mae buchod coch cwta yn bwydo ar bryfed gwyrdd, ond yn y gaeaf does ganddyn nhw ddim bwyd. Felly mae buchod coch cwta yn **gaeafgysgu** mewn craciau yn rhisgl coed ac o dan ddail marw.

Mae llawer o anifeiliaid bach fel draenogod, gwiwerod, pathewod a brogaod yn gaeafgysgu. Maen nhw'n bwyta llawer tua diwedd yr haf ac yn adeiladu haen o fraster o dan eu croen. Maen nhw'n dod o hyd i rywle tawel ac yn mynd i gysgu dros y gaeaf.

➤ Ysgrifennwch eich atebion i'r cwestiynau hyn.
a Rhowch resymau i egluro pam mae anifeiliaid yn gaeafgysgu.
b Sut maen nhw'n gallu mynd heb fwyd am gymaint o amser?
c Beth fydd yn digwydd i'r haen o fraster yn ystod y gaeaf?

Mudo

Ydych chi wedi gweld adar yn hedfan i ffwrdd yn yr hydref? Mae gwenoliaid a gwenoliaid y bondo yn osgoi'r gaeaf drwy hedfan i wledydd cynhesach. Yr enw ar hyn yw **mudo**.

➤ Rhestrwch rai o'r problemau mae adar yn eu hwynebu yn y gaeaf.

Mae rhai adar yn ymweld â Phrydain yn y gaeaf. Mae adar fel alarch Bewick a'r ŵydd droedbinc yn cyrraedd Prydain yn yr hydref. Maen nhw'n dod o'r gogledd oerach ac yn dianc rhag amgylchiadau mwy caled y gwledydd maen nhw wedi'u gadael.

➤ Edrychwch ar y map sy'n dangos llwybrau mudo 4 math o aderyn.
ch Pa ddau aderyn, yn eich barn chi, sy'n ymweld â Phrydain yn yr haf?
d Pa rai, yn eich barn chi, sy'n ymweld â Phrydain yn y gaeaf?

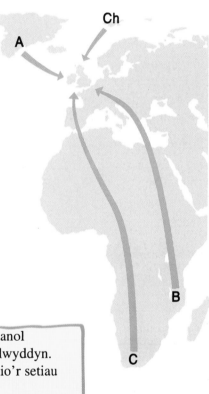

1 Sut mae pob un o'r canlynol yn treulio'r gaeaf:
a) y draenog?
b) yr wennol?
c) y pryf gwyrdd?
ch) alarch Bewick?

2 Mae rhai anifeiliaid yn newid er mwyn gallu goroesi'r gaeaf.
a) Mae cotiau rhai anifeiliaid fel y carlwm a rhai adar fel y rugiar wen yn wyn yn y gaeaf. Beth, dybiwch chi, yw'r rheswm am hynny?
b) Mae llawer o anifeiliaid gwyllt yn tyfu cotiau trwchus yn y gaeaf. Mae cŵn a chathod yn gwneud hyn hefyd. Pam?

3 Trafodwch sut y gallech helpu adar yr ardd i oroesi'r gaeaf. Lluniwch boster i annog eraill i ofalu am adar yn y gaeaf.

4 Mae i wahanol hinsoddau wahanol batrymau glawiad drwy gydol y flwyddyn.
a) Plotiwch 2 graff gan ddefnyddio'r setiau canlynol o ddata glawiad.

Mis	Glawiad mewn mm	
Ionawr	55	60
Chwefror	50	80
Mawrth	30	170
Ebrill	20	250
Mai	15	23
Mehefin	5	120
Gorffennaf	0	80
Awst	0	80
Medi	20	90
Hydref	20	90
Tachwedd	50	140
Rhagfyr	60	130

b) Astudiwch y patrymau glawiad a ddangosir uchod a labelu eich graffiau gyda naill ai Entebbe (coedwig drofannol) neu Alice Springs (anialwch poeth).

Pethau i'w gwneud

Pwy sy'n bwyta pwy?

Pam rydych chi'n meddwl bod gwartheg, ceffylau a defaid yn treulio cymaint o amser yn bwyta? Yr enw ar anifeiliaid sy'n bwyta planhigion yw **llysysyddion**.

➤ Gwnewch restr o rai llysysyddion eraill.

Mae anifeiliaid fel llewod, tylluanod a llwynogod yn bwydo ar gig. **Cigysyddion** yw'r enw ar anifeiliaid sy'n bwyta anifeiliaid eraill.

➤ Gwnewch restr o rai cigysyddion eraill.

Sut rydych chi'n meddwl mae planhigion yn cael bwyd?
O'r Haul mae planhigion gwyrdd yn cael eu hegni. Maen nhw'n gallu newid egni golau yn egni cemegol mewn bwyd. Nhw yw'r unig bethau byw sy'n gallu gwneud hyn. **Cynyrchyddion** yw planhigion gwyrdd.

Cadwynau bwydydd

Mae **cadwyn fwydydd** yn dangos symudiad egni rhwng planhigion ac anifeiliaid.

GLASWELLT ——— (yn cael ei ⟶ Y GWNINGEN ——— (yn cael ei ⟶ Y LLWYNOG
                fwyta gan)   bwyta gan)

Mae'r saethau yn dangos i ba gyfeiriad mae'r egni yn llifo o'r naill i'r llall.

GLASWELLT ⟶ CEILIOG RHEDYN ⟶ LLYGODEN Y MAES ⟶ TYLLUAN

Sylwch mai gyda chynhyrchydd (planhigyn gwyrdd) mae'r gadwyn fwydydd yn dechrau bob tro. Mae hon yn gallu cynnwys rhannau o blanhigyn, blagur neu ffrwythau er enghraifft, neu hyd yn oed ddail marw. Mae rhai anifeiliaid yn bwydo ar blanhigion marw ac anifeiliaid yn unig.

DAIL MARW ⟶ GWRACHEN LUDW ⟶ ADERYN DU

Rydych chithau hefyd yn rhan o gadwynau bwydydd. Meddyliwch am rai o'r pethau rydych chi'n eu bwyta. Dyma un enghraifft o gadwyn fwydydd a allai eich cynnwys chi:

GLASWELLT ⟶ DEFAID ⟶ BOD DYNOL

➤ Ysgrifennwch rai cadwynau bwydydd eraill sy'n eich cynnwys chi. Defnyddiwch saethau i ddangos i ba ffordd mae'r egni yn mynd.

➤ Edrychwch ar y llun o'r coetir ar ddechrau'r bennod hon (tudalen 123). Sawl cadwyn fwydydd allwch chi ei gweld? Ysgrifennwch nhw. Defnyddiwch y saethau i ddangos i ba gyfeiriad mae'r egni yn llifo.

Edrych ar anifeiliaid ymysg sbwriel dail

Rhowch ddail marw ar hambwrdd gwyn.

Edrychwch arnyn nhw'n ofalus a chasglwch at i gilydd unrhyw anifeiliaid bach rydych chi'n dod ar eu traws. Fe allwch eu codi gyda brws paent main neu drwy ddefnyddio pwter.

Gofalwch beidio â'u niweidio.

Ceisiwch ddarganfod beth mae pob anifail yn ei fwyta.
Ceisiwch ysgrifennu cadwynau bwydydd posibl ar gyfer y sbwriel dail.
Golchwch eich dwylo ar ôl y gweithgaredd hwn.

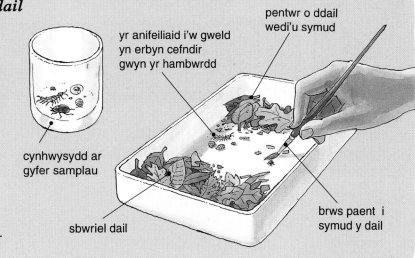

pentwr o ddail wedi'u symud

yr anifeiliaid i'w gweld yn erbyn cefndir gwyn yr hambwrdd

cynhwysydd ar gyfer samplau

brws paent i symud y dail

sbwriel dail

Gweoedd bwydydd

Mae'r rhan fwyaf o anifeiliaid yn bwyta mwy nag un peth. Byddai brogaod yn diflasu ar fwyta gwlithod yn unig. Maen nhw hefyd yn bwyta malwod a gwahanol fathau o bryfed.

Mae **gwe fwydydd** yn cael ei ffurfio o lawer o gadwynau bwydydd. Mae'n rhoi darlun llawer mwy cyflawn o sut mae anifeiliaid yn cael bwyd.

Edrychwch ar y we fwydydd hon o'r coetir. Ceisiwch ddod o hyd i'r cadwynau bwydydd i gyd a'u hysgrifennu. Mae 6 i chi chwilio amdanyn nhw.

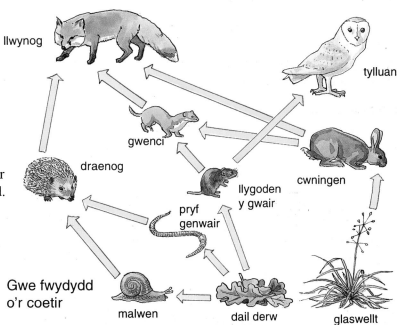

llwynog

tylluan

gwenci

draenog

cwningen

llygoden y gwair

pryf genwair

Gwe fwydydd o'r coetir

malwen

dail derw

glaswellt

Edrychwch ar y we fwydydd o'r coetir.
Enwch 2 gigysydd o'r we hon.
Enwch 2 lysysydd o'r we hon.
Enwch 2 gynhyrchydd o'r we hon.

Pe bai'r llwynogod i gyd yn marw, beth dybiwch chi fyddai'n digwydd i nifer y:
i) draenogod? ii) malwod?

Pam mai planhigyn gwyrdd yw'r ddolen gyntaf bob amser mewn gwe fwydydd?

Edrychwch ar y 2 gadwyn fwydydd hyn:

GRAWN → CYW IÂR → BOD DYNOL

GRAWN → BOD DYNOL

Pa un o'r cadwynau bwydydd hyn sy'n rhoi'r mwyaf o fwyd i bobl?
Beth yw'r rheswm dros hyn?

4 Edrychwch ar y we fwydydd hon o lan y môr.

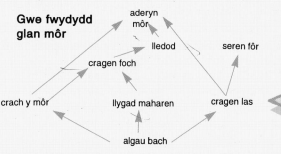

Gwe fwydydd glan môr

aderyn môr

lledod

seren fôr

cragen foch

crach y môr

llygad maharen

cragen las

algau bach

Pethau i'w gwneud

a) Ar beth mae cregyn moch yn bwydo?
b) Pe byddai'r cregyn moch i gyd yn cael eu lladd gan lygredd, beth ddigwyddai i nifer:
i) y lledod? ii) crach y môr?
c) Tynnwch lun o gadwyn fwydydd â 5 dolen gydiol o'r we fwydydd hon.
ch) Sawl cigysydd sy yn y we fwydydd hon?

129

Pethau'n pydru

Edrychwch ar y ffotograff hwn o fwyd sydd wedi mynd yn ddrwg. Flynyddoedd yn ôl, doedd pobl ddim yn gwybod pam roedd bwyd yn mynd yn ddrwg. Heddiw fe wyddon ni mai **microbau** sy'n achosi hyn.

Mae microbau o'n cwmpas ym mhob man. Maen nhw yn yr aer rydyn ni'n ei anadlu, yn y pridd ac mewn dŵr sydd heb ei drin.

Mae microbau yn cynnwys bacteria, ffyngau (llwydni) a firysau. Maen nhw mor fach fel bod angen microsgop i'w gweld yn iawn.

Llwydni yn tyfu ar nectarinau

Edrych ar lwydni

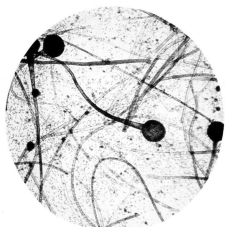

Llwydni bara o dan y microsgop

Gan ddefnyddio gefel fach, rhowch ddarn bach o lwydni bara ar sleid.

Ychwanegwch ddiferyn o ddŵr, a gosod gorchudd yn ofalus dros y llwydni. Os nad yw'n gorwedd yn wastad, tapiwch y gorchudd yn ofalus gyda phen eich gefel.

➤ Edrychwch ar y llwydni bara o dan eich microsgop. Disgrifiwch yn union beth rydych yn ei weld.

Codi llwydni oddi ar hen fara gyda gefel fach

Gosod gorchudd yn ofalus dros y llwydni ar sleid

Rhywbeth yn yr aer?

Rydyn ni'n gwybod erbyn hyn fod microbau yn gwneud i fwyd fynd yn ddrwg, ond sut maen nhw'n cyrraedd y bwyd yn y lle cyntaf?

Yn yr arbrawf hwn rydych yn mynd i ddefnyddio **cymysgedd o faethynnau** i dyfu microbau.

Er mwyn ei wneud yn brawf teg, rhaid **steryllu** peth o'r cawl. Bydd unrhyw ficrobau sydd eisoes yn bresennol yn cael eu lladd.

➤ Cymerwch 4 tiwb profi a thywallt y cymysgedd o faethynnau i bob tiwb nes bydd tua thraean o bob tiwb wedi'i lenwi.

Gosodwch nhw fel yn y diagram hwn.

	wedi'i steryllu		heb ei steryllu	
	agored	wedi cau	agored	wedi cau
	A	B	C	Ch
Canlyniad: clir neu gymylog				

Gofynnwch i'ch athro/athrawes wresogi tiwbiau A a B i dymheredd uchel mewn sosban wasgedd am 15 munud.

Beth, dybiwch chi, fydd effaith hyn?

Labelwch eich tiwbiau profi. Rhowch nhw mewn bicer a'u gadael ar dymheredd ystafell am wythnos.

➤ Copïwch y diagram sydd ar waelod y dudalen gyferbyn, fel y byddwch yn barod i gofnodi eich canlyniadau.

Os oes microbau yn bresennol, fe fyddan nhw'n gwneud y cymysgedd yn gymylog.

a Ym mha diwbiau profi y trodd y cymysgedd yn gymylog?

b Sut aeth y microbau at y cymysgedd yn y tiwbiau hyn?

c Ydy microbau yn ysgafnach neu'n drymach nag aer? Beth yw eich barn chi? Rhowch eich rheswm.

Bara wedi llwydo!

Beth sy'n effeithio ar dwf microbau?

Mae'n beth cyffredin i hen fara lwydo. Sut allech chi ddarganfod beth sy'n effeithio ar ba mor gyflym mae bara yn llwydo?

Cynlluniwch ymchwiliad.

Penderfynwch sut rydych yn mynd i gofnodi eich canlyniadau. Gofynnwch i'ch athro/athrawes edrych ar eich cynllun. Yna gwnewch yr ymchwiliad.

Ysgrifennwch adroddiad ar eich ymchwiliad.

➤ Pa amodau, yn eich barn chi, sy'n atal y bwydydd canlynol rhag mynd yn ddrwg:

ch corn melys wedi'i rewi?
e eirin gwlanog tun?
d pys wedi'u sychu?
f pecyn o greision?
dd cig moch wedi'i becynnu mewn gwactod?

1 Aeth teulu'r Jonesiaid i ffwrdd ar eu gwyliau haf am 3 wythnos. Fe adawon nhw rywfaint o fwyd allan yn y gegin wrth adael ar frys.
Beth, dybiwch chi, fydd wedi digwydd i bob un o'r bwydydd canlynol erbyn iddyn nhw ddychwelyd?

> pecyn o greision ŷd   potel agored o laeth
> bowlennaid o siwgr   jar o jam (heb gaead)
> darn o gaws   grawnffrwyth mewn tun
> afal   pecyn o gnau daear hallt
> bowlennaid o fwyd cath

2 Casglwch wybodaeth am 3 microb sydd yn niweidiol i bobl, a 3 microb sydd yn ddefnyddiol.

3 Ar lawer o becynnau bwyd mae dyddiadau 'sell by' neu 'use by'. Gwnewch restr o rai o'r bwydydd sydd yn cael eu marcio gyda'r dyddiadau hyn. Beth, dybiwch chi, allai ddigwydd i'r bwyd ar ôl y dyddiad hwn?
Does dim angen dyddiad 'sell by' ar fwydydd sydd wedi eu sychu neu fwydydd mewn tuniau. Pam?

4 Roedd Louis Pasteur, gwyddonydd o Ffrancwr, yn enwog am ei waith ar ficrobau. Casglwch wybodaeth am ei waith.

Pethau i'w gwneud

O'r pridd ... i'r pridd

Rydyn ni eisoes wedi gweld bod microbau yn gwneud i fwyd fynd yn ddrwg. Mae microbau hefyd yn gwneud i blanhigion ac anifeiliaid marw bydru. Yn lle dweud eu bod yn pydru, fe allen ni ddweud eu bod yn **dadelfennu**. Rydyn ni'n galw microbau sy'n gwneud i bethau marw bydru yn **ddadelfenwyr**. Maen nhw'n gallu treulio pethau sydd wedi marw yn union fel rydyn ni'n gallu treulio ein bwyd ni.

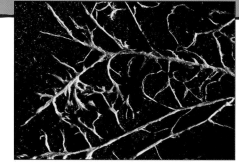

Pentyrrau o ficrobau!

Welsoch chi erioed **domen gompost** mewn gardd?
Lle i roi darnau o blanhigion marw yw hwn. Mae microbau yn tyfu'n dda yma ac yn pydru'r planhigion nes eu bod yn troi yn gompost. Mae garddwyr yn cloddio'r compost i mewn i'r pridd i'w wella ar gyfer tyfu planhigion.

➤ Edrychwch ar y diagram hwn o domen gompost.

a Pam rydych chi'n meddwl bod tyllau yn ochrau a gwaelod y cynhwysydd?

b Pam rydych chi'n meddwl bod caead i'r cynhwysydd?

c Bob hyn a hyn mae'r domen yn cael ei throi gyda fforch. Pam?

ch Mae'n bwysig bod y domen yn cael ei chadw yn llaith ond ddim yn wlyb diferol. Beth, yn eich barn chi, yw'r rheswm dros hynny?

d Mae'r domen yn pydru'n gyflymach yn yr haf nag yn y gaeaf. Pam?

dd Pa amodau sydd eu hangen, yn eich barn chi, i ficrobau allu gwneud i rywbeth bydru?

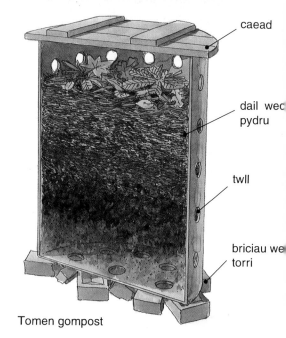

caead

dail wedi pydru

twll

briciau wedi torri

Tomen gompost

Darganfod pa ficrobau sy'n pydru glaswellt

Cymerwch 3 dysgl betri sy'n cynnwys jeli agar steryll.
Mae'r jeli yn fwyd i ficrobau.

Labelwch eich dysglau yn A, B ac C.
Gan ddefnyddio gefel fach steryll,
  ychwanegwch ychydig o laswellt wedi'i ferwi at ddysgl A,
  ychwanegwch ychydig o laswellt sydd newydd ei dorri at ddysgl B,
  gadewch ddysgl C heb ei hagor.

Defnyddiwch dâp gludiog i ludio caead pob dysgl i'w gwaelod.
Rhowch nhw mewn deorydd ar 25 °C a'u gadael am ychydig ddyddiau.

Ar ôl ychydig ddyddiau, edrychwch am unrhyw arwydd fod microbau yn bresennol. Peidiwch ag agor y dysglau.

e Pam gafodd y glaswellt yn nysgl A ei ferwi yn gyntaf?

f Pam gafodd dysgl C ei gadael heb ei hagor?

ff Pam roedd rhaid cadw'r dysglau ar dymheredd o 25 °C?

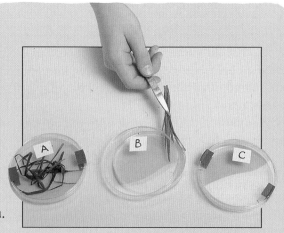

Sothach llwyr neu beth?

Mae pethau sy'n pydru yn **fiodiraddadwy**.
Mae defnyddiau nad ydyn nhw byth yn pydru yn **anfiodiraddadwy**.

➤ Edrychwch ar y ffotograff hwn.

g Pa rai o'r eitemau welwch chi ar y dde sy'n fiodiraddadwy, yn eich barn chi?

ng Pam mae defnyddiau anfiodiraddadwy yn achosi problemau i'n hamgylchedd ni?

Tipyn o waith cloddio i chi!

Gallwch chi ddarganfod pa bethau sy'n fiodiraddadwy drwy eu claddu nhw yn y pridd. Os edrychwch arnyn nhw ar wahanol adegau wedyn, fe allwch weld ydyn nhw'n pydru ai peidio.

Cynlluniwch ymchwiliad i weld pa bethau sy'n pydru a pha mor gyflym maen nhw'n pydru.
Pa fath o bethau rydych chi'n mynd i'w defnyddio? Gall eich athro/athrawes awgrymu pethau i'ch helpu chi.
Pa mor aml ydych chi'n mynd i godi'r pethau rydych chi wedi'u claddu ac edrych arnyn nhw?
Sut fyddwch chi'n mesur faint o unrhyw beth sydd wedi pydru?
Dangoswch eich cynllun i'ch athro/athrawes ac yna gwnewch eich ymchwiliad.

1 Weithiau, nid yw pethau marw yn dadelfennu. Dywedwch pam rydych chi'n meddwl na wnaeth y canlynol ddim pydru.

a) Yn Siberia, mae pobl wedi dod o hyd i gyrff anifeiliaid o'r enw mamothiaid mewn rhannau o'r ddaear sydd wedi rhewi. Maen nhw'n filoedd o flynyddoedd oed.

b) Cafwyd hyd i gyrff pobl (gannoedd o flynyddoedd oed) mewn mawnogydd asid.

c) Roedd brenhinoedd yr hen Eifftiaid yn cael eu claddu fel mwmïaid. Golygai hyn sychu'r corff mewn siambr gladdu i'w gadw.

2 Nid yw rhannau caled anifeiliaid bob amser yn dadelfennu. Maen nhw'n cael eu cadw ar ffurf ffosilau. Sut mae hyn yn digwydd? Ysgrifennwch adroddiad byr.

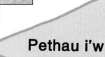

3 Mae ffermwraig am gadw glaswellt i fwydo ei hanifeiliaid yn y gaeaf. Gall wneud hyn mewn dwy ffordd. Mae hi naill ai'n gallu ei bacio'n dynn mewn cynhwysydd mawr fel nad yw'r aer yn gallu mynd i mewn iddo (mae hyn yn gwneud silwair), neu mae hi'n gallu sychu'r glaswellt i wneud gwair.
Eglurwch pam nad yw   a) silwair, a
                                              b) gwair
yn pydru.

Pethau i'w gwneud

133

1 Dewiswch: a) pryfyn b) aderyn ac c) mamolyn.
Dywedwch ble mae pob un yn byw (ei gynefin), ar
beth mae'n bwydo a sut mae wedi ymaddasu i'w gynefin.

2 Meddai Meilyr: "Pan fydda i'n cloddio yn fy nghompost, mae stêm
yn codi ohono." Cynlluniwch ymchwiliad i ddarganfod faint o
wres sy'n codi oddi ar laswellt sy'n pydru.
Gallwch ddefnyddio'r math o offer sydd yn eich labordy
gwyddoniaeth. Mae angen prawf teg. Peidiwch â rhoi eich
cynllun ar waith nes bydd eich athro/athrawes wedi ei weld.

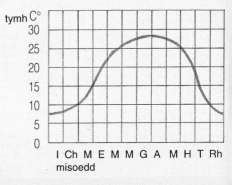

3 Rhowch gynnig ar wneud cadwyn fwydydd gyda'r rhain:
a) bronfraith, bresychen, lindysyn
b) gwlithen, draenog, letysen
c) mân blanhigion, pysgod, chwain y dŵr, penbyliaid
ch) pryfed gwyrdd, aderyn du, buwch goch gota, llwyn rhosod

4 Edrychwch ar y 3 graff tymheredd isod.
a) Pa graff sy'n perthyn i Lundain, Singapore ac Alaska?
b) Rhowch reswm dros eich dewis ym mhob achos.
c) Pa un o'r lleoedd hyn, dybiwch chi, fyddai'r anoddaf i blanhigion ac
    anifeiliaid oroesi ynddo? Rhowch eich rhesymau.

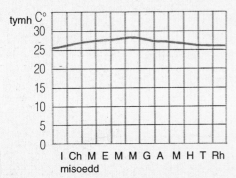

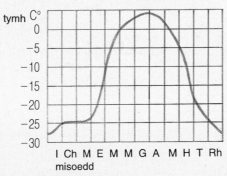

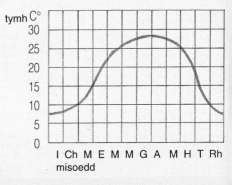

5 Microb ydw i. Rydw i wrth fy modd yn gwneud i bethau bydru. Rydw i'n byw
ym Mhlas Llwydni. Erbyn hyn, mae ei berchenogion wedi ei adael am byth.
Ysgrifennwch am f'anturiaethau dadelfennu.

6 Gwnaeth disgyblion arolwg o gynefin coetir bach.
Fe wnaethon nhw enwi a rhifo'r coed i gyd.
Mae'r tabl yn dangos eu canlyniadau.
a) Lluniwch siart bar o'r canlyniadau hyn.
b) Pa 2 goeden oedd fwyaf cyffredin
    yn y goedwig?

Coeden	Nifer
onnen	8
ffawydden	15
bedwen	20
celynnen	2
derwen	4

7 Mae modd cadw llaeth rhag suro mewn nifer o ffyrdd:
a) pasteureiddio b) steryllu c) berwi ar dymheredd uchel iawn (UHT).
Casglwch wybodaeth am bob un o'r dulliau hyn.
Pam mae llaeth pasteuredig yn suro hyd yn oed mewn potel wedi'i selio?
Pam mae llaeth sterylledig a llaeth hir oes (UHT) yn cadw yn ffres mor hir
yn eu cynwysyddion?

Creigiau

Ydych chi wedi gweld llosgfynydd erioed?
Pan fydd yn echdorri bydd lafa chwilboeth yn llifo o'r côn.
Pan fydd y lafa yn oeri mae'n ffurfio creigiau.
Ond dim ond un ffordd o ffurfio creigiau yw hyn.
Yn y bennod hon byddwch yn dysgu am ffyrdd eraill.

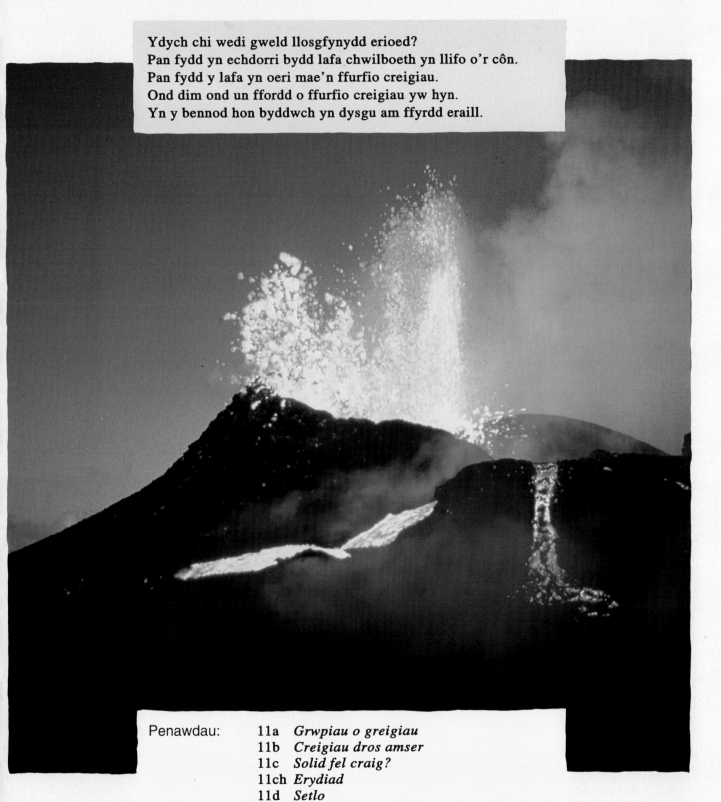

Penawdau:
11a *Grwpiau o greigiau*
11b *Creigiau dros amser*
11c *Solid fel craig?*
11ch *Erydiad*
11d *Setlo*

Grwpiau o greigiau

Mae creigiau i'w canfod mewn llawer o wahanol siapiau a meintiau. Efallai eich bod chi wedi dringo rhai o'r rhai mwyaf … neu efallai eich bod wedi casglu rhai.

Mae creigiau yn gallu dweud llawer wrthon ni am hanes ein planed, y Ddaear.

Mae pobl sy'n astudio creigiau yn cael eu galw yn **ddaearegwyr**. Gadewch i ni weld pa mor dda ydych chi fel daearegwr!

Daearegwyr wrth eu gwaith

Ble allwch chi ddod o hyd i samplau o greigiau?
Ym mha fathau o leoedd?
Gall casglu samplau o greigiau fod yn beryglus.

➤ Dychmygwch eich bod yn athro/athrawes ar ddosbarth.
Mae'r dosbarth yn mynd i chwilio am samplau o greigiau.
Rydych am wneud yn siŵr fod y creigiau yn cael eu casglu'n ddiogel.
Nodwch gyfarwyddiadau ar gyfer eich dosbarth.
Cofiwch gynnwys canllawiau diogelwch.

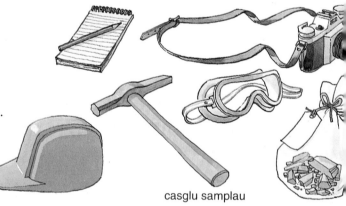

casglu samplau

Profi creigiau

Gwnewch y profion hyn ar bob sampl o graig.
Bydd eich athro/athrawes yn rhoi Cardiau Data Creigiau i chi.
Ysgrifennwch y canlyniadau ar gyfer pob craig ar Gerdyn Data Craig newydd.

Prawf creigiau 1 – Sut mae'r graig yn edrych?
Defnyddiwch chwyddwydr i edrych ar y graig yn ofalus.
- Pa liw ydyw?
- Disglair neu ddwl?
- Garw neu lyfn?
- Allwch chi weld unrhyw risialau?

Prawf creigiau 2 – Ydy'r graig yn galed?
Ceisiwch grafu'r graig.
Gelwir creigiau y gellir eu crafu ag ewin yn *feddal iawn*.
Gelwir creigiau y gellir eu crafu â hoelen haearn yn *feddal*.
Gelwir creigiau y gellir eu crafu â chyllell ddur yn *galed*.
Gelwir creigiau na ellir eu crafu â chyllell ddur yn *galed iawn*.

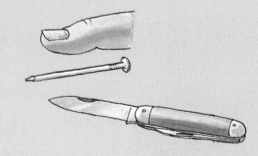

Prawf creigiau 3 – Ydy'r graig yn torri yn hawdd?
Lapiwch y sampl mewn cadach. Rhowch ef ar y llawr.
Rhowch eich sawdl ar y graig. Gwthiwch i lawr.
Ydy'r graig yn torri?

Prawf creigiau 4 – Ydy'r graig yn amsugno dŵr?

Rhowch y sampl ar wydryn oriawr.

Defnyddiwch bibed i ddiferu dŵr arno.

Beth sy'n digwydd i'r dŵr?

Edrychwch ar eich Cardiau Data Creigiau. Astudiwch briodweddau'r samplau.

Nawr rhannwch y creigiau yn grwpiau. Rhestrwch eich grwpiau.

Ysgrifennwch y priodweddau rydych wedi eu defnyddio i wneud y grwpiau.

Cerdyn data craig
Rhif sampl
Prawf creigiau 1
Prawf creigiau 2
Prawf creigiau 3
Prawf creigiau 4
Gwybodaeth ychwanegol

Un ffordd o grwpio creigiau yw yn ôl y modd maen nhw wedi'u gwneud.
Mae yna 3 phrif fath o graig.
Cafodd y 3 math eu ffurfio mewn gwahanol ffyrdd.

Creigiau igneaidd

Mae'r rhain yn ffurfio pan fydd sylweddau tawdd yn oeri. Mae'r creigiau hyn yn galed fel arfer. Maen nhw wedi'u gwneud o risialau. Mae **gwenithfaen** yn graig igneaidd.

Gwenithfaen (igneaidd)

Creigiau gwaddod

Mae'r rhain yn ffurfio mewn haenau. Maen nhw'n cael eu gwneud pan fydd sylweddau yn setlo mewn dŵr. Weithiau maen nhw'n cynnwys ffosilau. Fel arfer mae'r creigiau yn feddal. Mae **tywodfaen** a **chalchfaen** yn greigiau gwaddod.

Tywodfaen (gwaddod)

Creigiau metamorffig

Mae'r creigiau hyn yn ffurfio'n llawer arafach. Maen nhw'n cael eu gwneud pan fydd creigiau yn cael eu gwresogi a'u gwthio at ei gilydd. Fel arfer maen nhw'n galed iawn. Mae **marmor** yn graig fetamorffig sydd wedi'i ffurfio o galchfaen.

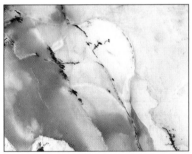

Marmor (metamorffig)

Calchfaen (gwaddod)

1 Copïwch a chwblhewch y canlynol:

a) Mae 3 phrif fath o greigiau: .... ,
.... a ....

b) Mae creigiau .... yn ffurfio pan fydd hylifau poeth yn oeri ac yn mynd yn solid.

c) Mae creigiau .... yn ffurfio wrth i sylweddau setlo mewn haenau.

ch) Mae creigiau .... yn ffurfio pan fydd creigiau eraill yn cael eu gwresogi a'u gwthio at ei gilydd.

2 Edrychwch yn ôl ar 'Cymharu defnyddiau' ar dudalen 28. Beth yw graddfa Moh? Ysgrifennwch baragraff yn esbonio.

3 Defnyddir rhai mathau o greigiau mewn adeiladau.

a) Beth yw priodweddau delfrydol craig a ddefnyddir ar gyfer adeiladu?

b) Chwiliwch pa fathau o graig a ddefnyddir ar gyfer adeiladau lleol yn eich ardal chi. Lluniwch boster i'w arddangos yn eich llyfrgell leol.

4 Esboniwch sut mae'r creigiau yn y ffotograff hwn wedi newid.

Pethau i'w gwneud

Creigiau dros amser

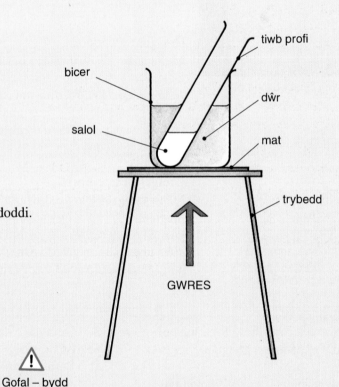

Cerdyn data craig
Rhif sampl
Prawf creigiau 1
Prawf creigiau 2
Prawf creigiau 3
Prawf creigiau 4
Gwybodaeth ychwanegol

➤ Darllenwch y wybodaeth am greigiau igneaidd, gwaddod a metamorffig ar dudalen 137 eto.
Edrychwch ar eich Cardiau Data Creigiau.

Penderfynwch pa **fath** o graig yr oedd pob sampl wnaethoch chi ei phrofi.

Bydd eich athro/athrawes yn rhoi enwau a mathau'r creigiau i chi. Ychwanegwch yr enwau ar eich Cardiau Data Creigiau.

Cadwch eich casgliad o gardiau yn ddiogel. Pan ddowch o hyd i greigiau newydd, gallwch ychwanegu cerdyn arall at eich casgliad.

Cliwiau grisial

Roedd rhai o'r creigiau y gwnaethoch eu profi yn cynnwys grisialau. Gall y grisialau roi cliwiau am sut y cafodd y graig ei ffurfio.

- Llanwch ficer at ei hanner gyda dŵr.
- Rhowch solid o'r enw **salol** mewn tiwb profi. Dylai fod tua 3 cm o ddyfnder.
- Rhowch eich tiwb profi yn y bicer o ddŵr.
- Gwresogwch y dŵr hyd nes bydd y salol wedi ymdoddi.
- Pan fydd y salol wedi ymdoddi, diffoddwch eich gwresogydd Bunsen.
- Gofynnwch i'ch athro/athrawes am sleid wydr **oer**. Dylai fod wedi ei chadw yn yr oergell.
- Defnyddiwch bibed i roi 3 diferyn o salol wedi ymdoddi ar y sleid oer.
  Defnyddiwch chwyddwydr i wylio'n ofalus. Fe welwch risialau salol yn ffurfio.

Gall grisialau ffurfio pan fydd hylifau yn oeri.

- Nawr ewch i nôl sleid **gynnes**.
  Ail-wnewch eich arbrawf.

a Ar ba sleid yr oedd y salol yn oeri gyflymaf?
b Ar ba sleid yr oedd y grisialau mwyaf yn ffurfio?
c Ysgrifennwch grynodeb o'ch darganfyddion.

⚠ Gofal – bydd y dŵr yn dal yn boeth.

138

Creigiau sy'n adrodd stori

Mae creigiau yn rhoi tystiolaeth i ni fod y
Ddaear yn hen iawn … tua 4500 miliwn
o flynyddoedd!

Mae **ffosilau** yn rhoi gwybodaeth i ni am yr anifeiliaid a'r
planhigion oedd yn byw filiynau o flynyddoedd yn ôl.
Gweddillion anifeiliaid a phlanhigion sydd wedi cael eu
cadw mewn creigiau ydyn nhw.

➤ Edrychwch ar y ffosil sydd wedi'i roi i'ch grŵp chi.
  Sut, yn eich barn chi, y ffurfiwyd y ffosil hwn?
  Defnyddiwch lyfrau i ganfod mwy am eich ffosil.
  • Pryd roedd yn byw?
  • Ble roedd yn byw?
  • Beth oedd ei amgylchedd?
  Ysgrifennwch baragraff am eich ffosil.
  Gwnewch lun o'ch ffosil a'i liwio.

➤ Edrychwch ar y siart amser isod. Mae'r siart yn
  dangos 4500 miliwn o flynyddoedd o hanes y Ddaear.
  Ble mae eich *ffosil* chi yn ffitio ar y siart amser?
  Ble rydych *chi* ar y siart amser?

ch Ydy ffosilau yn ifanc neu yn hen o'u cymharu â chi?
d Ydy ffosilau yn ifanc neu yn hen o'u cymharu â'r Ddaear?

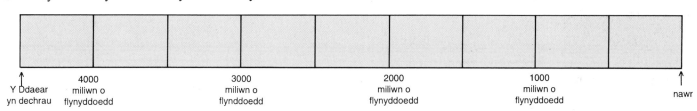

↑ Y Ddaear yn dechrau	4000 miliwn o flynyddoedd	3000 miliwn o flynddoedd	2000 miliwn o flynyddoedd	1000 miliwn o flynyddoedd	↑ nawr

1 Copïwch a chwblhewch:
Pan fydd solid yn …. , mae'n ymdoddi.
Pan fydd yr hylif yn …. yn gyflym, mae'n
ffurfio grisialau …. . Os yw'n oeri yn
…. , mae'n ffurfio grisialau …. .

2 Defnyddiwch lyfrau i ateb y cwestiwn hwn.
a) Beth yw llosgfynydd?
b) Dychmygwch eich bod yn ohebydd papur
   newydd. Rydych am wneud adroddiad ar
   losgfynydd sy'n echdorri. Ysgrifennwch
   yr adroddiad cyntaf ar gyfer eich papur.

3 Ysgrifennwch atebion i'r cwestiynau
hyn.
a) Beth yw ffosilau?
b) Pam ei fod yn beth prin canfod ffosilau
   mewn creigiau metamorffig?

4 Mae creigiau gwaddod yn cymryd llawer o
amser i ffurfio. Mae'r gwaddodion yn setlo
mewn dŵr. Cynlluniwch ymchwiliad i weld
pa mor gyflym mae gwahanol waddodion
yn setlo. Gallech ddefnyddio pridd,
tywod, cerrig mân a silt fel gwaddodion.

**Pethau
i'w gwneud**

Solid fel craig?

Nid yw creigiau yn aros yr un fath am byth.
Maen nhw'n chwalu yn araf.

➤ Edrychwch ar y ffotograffau hyn a dywedwch beth rydych chi'n
ei feddwl sydd wedi achosi i'r creigiau newid ym mhob achos.

Mae'r broses sy'n gwneud i greigiau chwalu yn cael ei
galw yn **hindreuliad**. Gall dŵr, gwynt a newidiadau mewn
tymheredd achosi hindreuliad.

Asid yn ymosod

Ydych chi'n cofio edrych ar sut mae glaw asid yn effeithio ar
galchfaen yn Uned 6b?

Gwnewch ymchwiliad i weld ydy asid yn effeithio ar
greigiau eraill yn yr un ffordd.
Ychwanegwch ychydig ddiferion o asid at galchfaen.
Ysgrifennwch am yr hyn rydych yn ei weld.

Ail-wnewch eich ymchwiliad gyda gwenithfaen,
tywodfaen a sglodion marmor.

asid

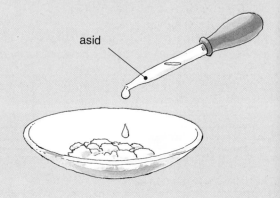
asid

Difrod iâ

Gall dŵr fynd i mewn i graciau mewn creigiau.

Os yw'r dŵr yn rhewi, mae'n troi yn iâ. Ond mae iâ yn cymryd
mwy o le na dŵr. Felly mae'r iâ yn gallu hollti'r graig yn
ddarnau llai. Difrod iâ yw'r enw ar hyn.

Bydd eich athro/athrawes yn llenwi potel wydr fechan â dŵr,
ac yna'n cau'r caead yn dynn.

Yna mae'r botel yn cael ei rhoi mewn bag plastig cryf, sy'n cael
ei glymu a'i roi mewn rhewgell.

Yn y wers nesaf bydd eich athro/athrawes yn dangos i chi beth
fydd wedi digwydd i'r botel.

Mae'r ogof galchfaen hon wedi'i hindreulio gan ddŵr.

Mae **stalactitau** mawr yn hongian o do'r ogof.

Sut rydych chi'n meddwl y cawson nhw eu ffurfio?

Ymchwilio i hindreuliad

Edrychwch ar y creigiau o amgylch eich ysgol am arwyddion o hindreuliad. Gallwch edrych ar friciau a defnyddiau adeiladu eraill.

- Ydy'r creigiau sydd wedi eu hindreulio yn feddal? Crafwch nhw gyda hoelen haearn i ganfod a ydyn nhw'n feddal.
- Pa liw ydyn nhw? Ydy eu lliw yn wahanol i liw y graig sydd heb newid?
- Oes craciau yn eu harwyneb? Disgrifiwch nhw.

- Beth, yn eich barn chi, sydd wedi achosi'r hindreulio?
- Pa fathau o greigiau sy'n dadfeilio hawsaf?
- Pa fathau o greigiau sy'n para hiraf?

Edrychwch i weld sut mae cen, mwsogl a phlanhigion eraill yn gallu newid creigiau. Archwiliwch y graig o dan y planhigion hyn ac yna rhowch nhw yn ôl yn ofalus.

1 Copïwch a chwblhewch y canlynol:
Mae'r broses sy'n gwneud i greigiau chwalu yn cael ei galw yn .... . Mae creigiau .... yn chwalu yn haws na chreigiau .... .
Mae creigiau yn hollti oherwydd ...., ... neu
.... . Mae glaw yn gallu hindreulio creigiau am ei fod yn .... . Pan fydd dŵr yn mynd i mewn i graciau mae'n gallu .... i ffurfio .... sy'n cymryd mwy o le ac felly yn gallu hollti'r graig yn ddarnau llai.

2 Edrychwch ar y diagram hwn. Ysgrifennwch esboniad ar sut mae sgri rhydd yn cael ei ffurfio.

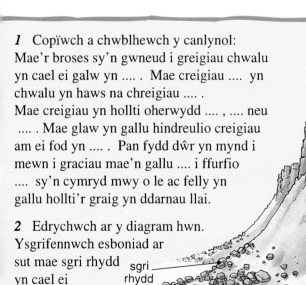

sgri rhydd

3 Ewch ar ymweliad â'r fynwent agosaf. Ond peidiwch â mynd ar eich pen eich hun. Ewch â ffrind neu oedolyn gyda chi bob amser. Edrychwch yn ofalus ar y gwahanol fathau o gerrig beddi. Fe fydd rhai wedi hindreulio fwy nag eraill. Beth yw'r dyddiadau cynharaf y gallwch eu darllen? Bydd y rhain ar y creigiau caletaf. Ceisiwch enwi'r gwahanol fathau o greigiau a nodwch y dyddiad cynharaf ar bob un.

Pethau i'w gwneud

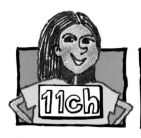

Erydiad

Mae hindreuliad yn gwneud i greigiau chwalu yn ddarnau llai. Yna mae'r darnau hyn yn cael eu cario i ffwrdd gan bethau eraill e.e. gwynt, ac felly mae'r graig yn treulio.

Erydiad yw'r enw ar y broses hon lle mae creigiau yn treulio.

BWTHYN BREGUS

TIRLITHRIAD YN DIFA CARTREFI AR Y CLOGWYN

Mae'r teulu Robinson yn symud tŷ, am fod eu tŷ yn symud.
Nid yw'r ardd yr hyn ydoedd, yn wir, mae bron wedi mynd yn gyfan gwbl.

Mae'r lloriau yn gam ac mae'r waliau yn cracio. Dywedodd y teulu Robinson, sydd wedi byw yno ers 30 mlynedd, "Rydyn ni mor drist. Pan brynon ni'r tŷ, wnaethon ni 'rioed ddychmygu y byddai hyn yn digwydd."

➤ Astudiwch yr erthygl bapur newydd uchod ac yna ysgrifennwch eich atebion i'r cwestiynau hyn.

a Pam wnaeth y teulu Robinson brynu tŷ oedd mor agos at ymyl y clogwyn?

b Beth, yn eich barn chi, achosodd y tirlithriad?

c Oes yna unrhyw ffordd y gellid bod wedi atal y tirlithriad?

ch Beth, yn eich barn chi, sydd wedi digwydd i'r holl ddarnau o graig sydd wedi cael eu herydu o'r clogwyn?

➤ Edrychwch ar y 3 ffotograff hyn. Ar gyfer pob un, nodwch beth rydych chi'n ei feddwl sy'n achosi i'r creigiau erydu.

d

dd

e

Sut mae tywod yn cael ei erydu gan ddŵr?

Gosodwch hambwrdd tywod fel y dangosir yn y diagram.
Llanwch hanner uchaf yr hambwrdd â thywod llaith.
Rhowch hanner isaf yr hambwrdd dros sinc.
Gallwch redeg ychydig o ddŵr o'r tiwb rwber ar y tywod.

Penderfynwch ar ragfynegiad y gallwch ei brofi.
Beth, yn eich barn chi, mae maint yr erydiad yn dibynnu arno?
Ysgrifennwch eich rhagfynegiad.

*   Sut fyddwch yn mesur maint yr erydiad?
*   Sut fyddwch yn ei wneud yn brawf teg?
*   Sut fyddwch yn cofnodi eich canlyniadau?

Dangoswch eich cynllun i'ch athro/athrawes
ac yna rhowch gynnig arno.

Wedi i chi orffen eich ymchwiliad,
ysgrifennwch adroddiad yn dweud beth wnaethoch
a beth oedd eich darganfyddion.

Sut allech chi wella ar yr ymchwiliad?

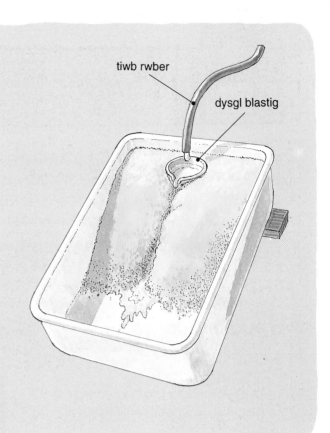

tiwb rwber

dysgl blastig

Datrys y dirgelwch

➤ Edrychwch ar y 2 ffotograff hyn.
Ysgrifennwch eich atebion
i'r cwestiynau hyn.

f Sut, yn eich barn chi, mae'r erydu
wedi ffurfio'r **bwa** a'r **staciau?**
ff Ble mae'r defnydd a gafodd ei
erydu wedi mynd?

1 Copïwch a chwblhewch, gan ddewis y
gair cywir o'r 2 air mewn cromfachau:
Mae creigiau yn chwalu oherwydd
(hindreuliad/erydiad) ac yna maen nhw'n
treulio oherwydd (hindreuliad/erydiad). Mae
(gwynt/tonnau) yn torri darnau o'r graig yn
rhydd wrth daro yn erbyn (bryniau/clogwyni).
Rhewlifau yw afonydd o (iâ/ddŵr) sy'n crafu
creigiau allan o (fynyddoedd/ddyffrynnoedd).

2 Cynlluniwch fodel i ddangos sut mae tonnau
yn erydu clogwyni. Beth fyddwch chi'n ei
ddefnyddio i wneud y clogwyni?
Sut fyddwch chi'n gwneud i'r tonnau daro'r
clogwyni? Gallai edrych ar yr hambwrdd
tywod eto roi rhai syniadau i chi.

3 Mewn gwledydd
sych iawn, mae
gwyntoedd yn gallu
codi tywod a'i
chwythu yn erbyn
creigiau mawr.
Edrychwch ar y
ffotograff hwn o
graig gynnal.

Ceisiwch esbonio sut mae'r rhain yn cael
eu ffurfio mewn anialwch.

4 Gofynnwch i'ch athro/athrawes am gerrig
mân o draeth. Pa fath o siapiau ydyn nhw?
Sut, yn eich barn chi, mae'r siapiau hyn
wedi'u ffurfio?

Pethau
i'w gwneud

Setlo

Wedi i greigiau gael eu torri i lawr, gall y darnau llai gael eu cario i ffwrdd. Dywedwn eu bod yn cael eu **cludo** i fan arall.

➤ Sut y gall y darnau gael eu cludo i fannau eraill? Edrychwch yn ôl ar dudalen 142 am syniadau.

Yn y pen draw bydd y darnau o graig yn cael eu **dyddodi** mewn ardal arall. Mae darnau bychain iawn o graig yn cael eu galw yn **waddodion**. Gall gwaddodion sy'n cael eu dyddodi wrth ymyl y môr ffurfio banciau tywod. Pan fydd afon yn dyddodi gwaddodion, gallant ffurfio pridd yn y pen draw.

O ble daw pridd?

➤ Bydd eich athro/athrawes yn rhoi samplau o 4 pridd gwahanol i chi. Byddant wedi eu labelu yn A, B, C ac Ch. Mae pob un o'r priddoedd hyn wedi dod o le gwahanol.

Edrychwch ar bob sampl yn ofalus gyda lens llaw. Ceisiwch gyfateb pob pridd ag un o'r mannau a ddangosir yn y ffotograffau hyn. Ysgrifennwch y rhesymau dros eich dewis.

Ger bae tywodlyd

Gweundir

Coetir

Ffermdir

Mae'n ffaith!

Mae gan briddoedd tywodlyd ronynnau mawr ond gronynnau bychain sydd gan briddoedd cleiog. Mae **priddoedd lôm** yn gymysgedd o bridd tywodlyd a phridd cleiog. Maen nhw'n hawdd i'w palu ac yn dal dŵr heb fynd yn ddwrlawn.

Beth sydd mewn pridd?

➤ Edrychwch yn ofalus iawn ar ychydig o bridd gyda lens llaw. Ydy'r holl ronynnau pridd yr un maint?

Efallai y byddwch yn darganfod darnau o blanhigion ac anifeiliaid marw. Bydd y rhain yn pydru i ffurfio sylwedd du, meddal a elwir yn **hwmws**.

➤ Tywalltwch beth o'ch pridd i bot jam neu silindr mesur. Dylech roi digon i lenwi'r silindr mesur hyd at ddyfnder o tua 4 cm.

Nawr llanwch y cynhwysydd bron yn llwyr â dŵr. Rhowch eich llaw dros geg y cynhwysydd a'i ysgwyd er mwyn cymysgu'r pridd â'r dŵr.

Gadewch i'r pridd setlo ac edrychwch arno ar ddiwedd y wers. Ysgrifennwch yr hyn y gallwch ei weld. Edrychwch arno eto yn ystod y wers nesaf.

Ymchwilio i briddoedd

Bydd eich athro/athrawes yn rhoi 2 sampl o bridd gwahanol i chi. Cewch ddewis gwneud un o'r ymchwiliadau canlynol:

A Pa bridd sy'n cynnwys y mwyaf o ddŵr?

C Pa bridd fydd yn dal y mwyaf o ddŵr?

B Pa bridd sy'n cynnwys y mwyaf o hwmws?
(Awgrym: mae hwmws yn llosgi ar 110 °C.)

Ch Ym mha bridd mae hadau yn tyfu orau?

Cynlluniwch eich ymchwiliad. Gwnewch yn siwr ei fod yn brawf teg:
• Pa offer fydd eu hangen arnoch?
• Sut fyddwch yn cofnodi eich canlyniadau?
Yna dangoswch eich cynllun i'ch athro/athrawes a rhowch gynnig arno.

---

1 Copïwch a chwblhewch:
Mae priddoedd wedi eu gwneud o ronynnau bach o .... Mae'r rhain wedi eu torri oddi wrth greigiau mawr drwy .... a ..... Yna gallant fod wedi cael eu .... gan afonydd a nentydd. Gwaddodion yw gronynnau bach o .... a allai fod wedi cael eu .... gan y môr i ffurfio tywod.

2 Ceisiwch esbonio'r canlynol:
a) Mae priddoedd tywodlyd yn hawdd i'w palu ond mae arnyn nhw angen llawer o law.
b) Gall priddoedd cleiog fynd yn ddwrlawn ac yna mae'n anodd eu palu.

3 Cylchred craig:

Gall creigiau gael eu torri i lawr drwy hindreuliad ac erydiad. Yna gellir eu cludo a'u dyddodi mewn man arall. Pan fyddan nhw'n casglu fel gwaddodion, maen nhw'n cael eu gwasgu at ei gilydd i ffurfio craig newydd.

Gwnewch boster o gylchred craig.

4 Moryd yw man lle mae afon yn cyfarfod â'r môr. Mae'r gwaddod sy'n cael ei gario gan yr afon yn cael ei ddyddodi fel llaid. Ewch ati i ganfod mwy o wybodaeth am forydau a fflatiau llaid.

Pethau i'w gwneud

Cwestiynau

1 Dywedwch a yw pob un o'r gosodiadau canlynol yn **wir** neu'n **anwir**.
(a) Mae creigiau gwaddod yn galed iawn fel arfer.
(b) Mae creigiau igneaidd yn ffurfio pan fydd defnyddiau tawdd yn oeri.
(c) Mae creigiau i'w darganfod ar draethau yn aml.
(ch) Mae tywodfaen yn graig waddod.
(d) Mae yna 2 brif fath o greigiau.

2 Gwnewch luniau o rai o'r samplau o greigiau a brofwyd gennych.
Torrwch y lluniau a'u gludio ar gefn eich Cardiau Data Creigiau.

3 Defnyddiwch gyfeirlyfrau i ganfod sut mae
glo yn cael ei ffurfio.
Ysgrifennwch baragraff a lluniwch
ddiagramau yn esbonio'r broses.

4 Mae'r rhan fwyaf o gerrig yn cael eu cloddio
mewn chwareli.
Mae'r cerrig yn cael eu ffrwydro o wyneb craig.
Defnyddir ffrwydron i wneud hyn.
I beth mae cerrig o chwareli'n cael eu
defnyddio? Gwnewch restr.
Beth yw anfanteision cloddio mewn chwareli?

5 Mae Gwyn eisiau tyfu ffa dringo er mwyn cystadlu mewn sioeau cynnyrch gardd.
"Mae angen i ti ychwanegu mwy o hwmws i'r pridd," meddai Lona.
"Mi wn i," meddai Gwyn, "fe wna i balu compost i mewn iddo."
a) Beth yw hwmws?
b) Ewch ati i ganfod ac ysgrifennu am yr holl
ffyrdd y gall hwmws wella'r pridd.
c) Pa ffyrdd eraill sydd yna o ychwanegu
hwmws at y pridd heblaw ar ffurf compost?

6 Mae Crwydriaid Clwyd wedi cael llond bol ar eu cae pêl-droed.
Ar ddechrau'r tymor mae'n sych grimp ac yn llawn o graciau.
Am y rhan fwyaf o weddill y tymor mae'n ddwrlawn.
a) Cynlluniwch ymchwiliad i ddarganfod pa mor
dda mae'r dŵr yn y pridd yn draenio.
Gallwch ddefnyddio'r math o offer sydd
yn eich labordy gwyddoniaeth.
Cofiwch ei wneud yn brawf teg.
b) Awgrymwch sut y gallai'r Crwydriaid
wella draeniad eu cae pêl-droed.

Gweld a chlywed

Mae ein llygaid a'n clustiau yn ein helpu i ddeall y byd o'n cwmpas. Trwy ddefnyddio'r rhain gallwn ddysgu mwy am wyddoniaeth.

Defnyddia ein llygaid egni golau, a defnyddia ein clustiau egni sain.

Wrth eu defnyddio gyda'i gilydd, gallwn adnabod ffrindiau a gweld perygl.

Penawdau:
12a *Edrychwch!*
12b *Drychau ac adlewyrchu*
12c *Defnyddio pelydrau o olau*
12ch *Sain ar symud*
12d *Clywch, clywch!*

Edrychwch!

➤ Caewch eich llygaid a meddwl am funud sut beth fyddai bod yn hollol ddall. Ysgrifennwch 3 pheth fyddai'n amhosibl i chi eu gwneud pe byddech yn ddall.

➤ Rhowch ddrych o'ch blaen, ac edrych ar eich llygad. Rydych yn edrych ar **ddelwedd** o'ch llygad. Yr enw ar y rhan o'r llygad lle mae lliw i'w weld yw'r **iris**. Gwnewch lun manwl gywir o'ch iris.

Enw'r bwlch tywyll yng nghanol yr iris yw **cannwyll y llygad**. Trwy hon mae golau yn mynd i mewn i'r llygad.

➤ Daliwch i edrych yn y drych ond trowch eich pen i wynebu rhan dywyll o'r ystafell, yna trowch eich pen i wynebu rhan olau. Beth sy'n digwydd i faint y gannwyll? Beth yw'r rheswm dros hyn?

➤ Edrychwch ar y diagram hwn o'r llygad: Astudiwch y gwahanol rannau yn ofalus.

➤ Bydd eich athro/athrawes yn rhoi copi o'r diagram hwn i chi. Llanwch y bylchau ar y daflen.

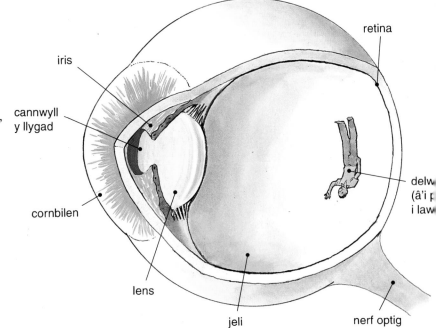

retina

iris

cannwyll y llygad

cornbilen

delw (â'i p i law

lens

jeli

nerf optig

Sut rydych chi'n gweld?

Mae gan Emma ddamcaniaeth ynglŷn â sut mae'n gallu gweld pethau.

Mae damcaniaeth Tina yn wahanol.

- Pa ddamcaniaeth sy'n gywir, yn eich barn chi?
- Cynlluniwch ymchwiliad fydd yn dangos pa ddamcaniaeth sy'n gywir.
- Dangoswch eich cynllun i'ch athro/ athrawes, ac yna rhowch gynnig arno.
- Beth rydych yn ei ddarganfod? Disgrifiwch beth sy'n digwydd gan ddefnyddio'r geiriau isod.

> **golau   adlewyrchu   llygad**
> **cannwyll y llygad**

Meddai Emma, "Rydw i'n meddwl bod y golau bob amser yn mynd i'm llygad ac yna yn mynd ar y llyfr er mwyn i mi allu ei weld."

Meddai Tina, "Rydw i'n meddwl bod angen i'r golau fynd ar y llyfr ac yna at fy llygad."

Ydy dau lygad yn well nag un?

- Ai un llygad neu ddau yw'r gorau i amcangyfrif pellter? Ysgrifennwch eich rhagfynegiad.
- Cynlluniwch ymchwiliad byr i brofi hyn. Gallech ddefnyddio prawf sgìl syml fel y canlynol: Daliwch bensil ym mhob llaw hyd braich oddi wrthych a cheisiwch gyffwrdd blaen y pensilau yn ei gilydd.
- Gwnewch yr ymchwiliad. Beth oedd y canlyniad?

Mae gan y rhan fwyaf o anifeiliaid ddau lygad

Cysgodion

➤ Cyfeiriwch olau fflachlamp neu **flwch pelydru** ar ddalen o bapur gwyn. Ceisiwch greu **cysgod** ar y sgrin trwy ddal rhywbeth yn eich llaw.

a Pam mae'r sgrin yn ddisglair?
b Pam mae'r cysgod yn ddu?
c Sut mae gwneud y cysgod yn fwy?

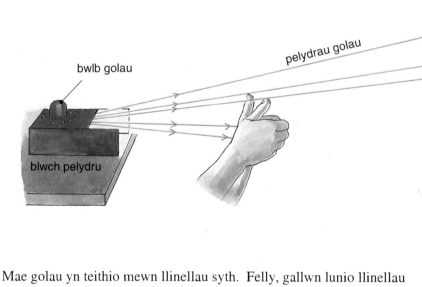

bwlb golau

blwch pelydru

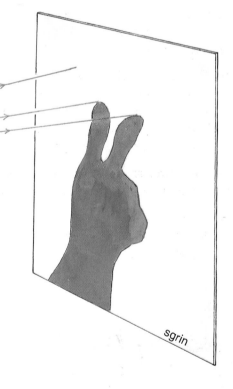

pelydrau golau

sgrin

Mae golau yn teithio mewn llinellau syth. Felly, gallwn lunio llinellau syth sy'n cael eu galw yn **belydrau** i ddangos llwybr y golau.

ch Sut mae defnyddio pren mesur i wirio bod y pelydrau golau yn teithio mewn llinellau syth?

---

1 Copïwch a chwblhewch:
Wrth i mi edrych ar y dudalen hon, mae pelydrau .... yn cael eu hadlewyrchu oddi ar y papur gwyn ac yna yn mynd i mewn i'm .... Mae'r pelydrau hyn yn creu .... ar y retina. Mewn golau gwan, mae cannwyll fy llygad yn mynd yn .... er mwyn i fwy o .... allu mynd i mewn i'm ....

2 Mewn storm o fellt a tharanau, fe welwch y mellt ac yna clywed y daran. Beth mae hyn yn ei ddweud wrthych am fuanedd golau?

3 Lluniwch gynllun ar gyfer cloc sy'n defnyddio cysgodion o'r Haul.

4 Gan ddefnyddio darn o gerdyn 10 cm × 10 cm, lluniwch aderyn ar un ochr (gan ddefnyddio llinellau trwm) ac ar yr ochr arall lluniwch gawell i'r aderyn. Defnyddiwch dâp gludiog i ludio pensil wrth y cerdyn, ac yna troellwch y pensil yn gyflym rhwng eich dwylo. Beth welwch chi? Ysgrifennwch frawddeg yn egluro beth sy'n digwydd. Yna cynlluniwch gerdyn gwahanol.

Pethau i'w gwneud

Drychau ac adlewyrchu

Gellir *adlewyrchu* pelydrau golau.
Rydych chi'n gallu gweld y dudalen hon oherwydd bod pelydrau golau yn cael eu hadlewyrchu oddi ar y papur gwyn i mewn i'ch llygaid.

Pan fydd golau yn disgleirio ar yr inc du hwn, nid yw'n cael ei adlewyrchu – mae'n cael ei **amsugno**.

Mae drych yn adlewyrchu golau'n dda.
Pan edrychwch ar ddrych, rydych chi'n gweld **delwedd** ohonoch eich hun ynddo.

golau yn cael ei adlewyrchu i mewn i'ch llygad

golau yn cael ei amsugno

papur gwyn

inc du

➤ Mae gwahanol ffyrdd o ddefnyddio drychau – yn ein cartrefi, mewn siopau ac mewn ceir. Rhestrwch gymaint ohonyn nhw ag sy'n bosibl.

Sut mae defnyddio drych ar ddiwrnod heulog i roi neges i berson arall sy'n bell i ffwrdd?

Os yw eich ystafell wely yn dywyll, sut allech chi ddefnyddio drych i wneud i'r ystafell edrych yn fwy golau?

Mae drych sy'n hollol wastad yn cael ei alw yn ddrych **plân**. Dyma arbrawf i weld beth sy'n digwydd pan fydd golau yn cael ei adlewyrchu oddi ar ddrych plân.

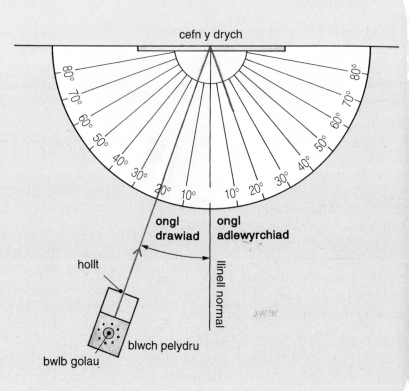

Deddf Adlewyrchiad

Fe gewch Daflen Gymorth gan eich athro/athrawes. Ar y daflen mae rhai llinellau ac onglau.

1 Gosodwch eich drych plân â'i *gefn* yn sefyll ar hyd y llinell lle mae'r gair drych wedi ei ysgrifennu (mae'r golau yn cael ei adlewyrchu o gefn arian y drych).
2 Defnyddiwch flwch pelydru i anfon paladr cul o olau ar hyd y llinell 20° ar raddfa'r **ongl drawiad**.
3 Mesurwch yr **ongl adlewyrchiad**. Beth rydych yn ei ddarganfod?
4 Gwnewch hyn eto gan ddefnyddio onglau trawiad o feintiau gwahanol.
5 Ysgrifennwch eich casgliad.

• Pe byddai'r ongl drawiad yn 34° beth fyddai maint yr ongl adlewyrchiad? Rhagfynegwch yn gyntaf ac yna mesurwch yr ongl.

cefn y drych

80° 70° 60° 50° 40° 30° 20° 10° 10° 20° 30° 40° 50° 60° 70° 80°

ongl drawiad

ongl adlewyrchiad

llinell normal

hollt

blwch pelydru

bwlb golau

Drychddelweddau

1. Gosodwch ddarn o wydr i sefyll yn syth ar fwrdd.
2. Rhowch wresogydd Bunsen gyda fflam felen lachar o flaen y gwydr.
3. Edrychwch i mewn i'r 'drych' i weld delwedd y fflam. Ble mae'r fflam yn ymddangos?
4. Symudwch wresogydd Bunsen arall **heb** fflam hyd nes bydd delwedd y fflam yn union uwchben y gwresogydd hwn.
5. Mesurwch bellter y ddau wresogydd Bunsen oddi wrth y drych gwydr. Beth rydych yn ei ddarganfod?
6. Defnyddiwch bellteroedd gwahanol.
7. Ysgrifennwch eich casgliad am hyn.

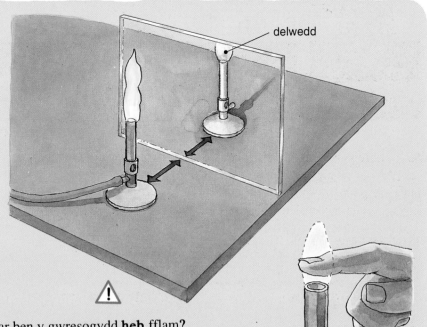

delwedd

* Beth welwch chi os ydych yn rhoi eich bys ar ben y gwresogydd **heb** fflam?

Drychau crwm

Gall drychau fod yn ddrychau **amgrwm** (siâp cefn llwy) neu'n ddrychau **ceugrwm** (siâp llwy).

Mae drych *ceugrwm* yn cael ei ddefnyddio mewn fflachlamp ac ym mhrif oleuadau ceir:

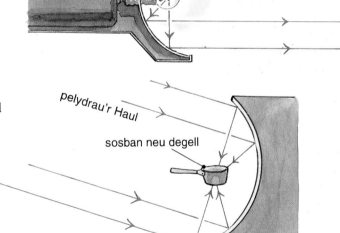

drych ceugrwm mewn fflachlamp

pelydrau o olau

bwlb golau

Mae drych *ceugrwm* yn cael ei ddefnyddio hefyd mewn cwcer solar:
Mae hon yn ffynhonnell egni rad mewn rhai gwledydd.

pelydrau'r Haul

sosban neu degell

drych ceugrwm yn cael ei ddefnyddio i goginio

---

1. Edrychwch ar hyn:

> Deddf Adlewyrchiad
> Mae'r ongl drawiad yn **hafal** i'r ongl adlewyrchiad

a) Sut mae darllen hyn heb drafferth?
b) Copïwch hyn yn gywir.
c) Copïwch a chwblhewch:
   Mae'r pellter rhwng gwrthrych a drych plân yn .... i'r pellter rhwng y .... a'r drych.

2. Ysgrifennwch eich enw fel ei fod yn gywir wrth ddefnyddio drych i'w ddarllen.

3. Ble a pham welwch chi:
   AMBIWLANS

4. Dychmygwch eich bod yn deffro yfory mewn byd lle nad yw golau yn cael ei adlewyrchu. Ysgrifennwch stori am hyn.

5. Darllenwch y ddwy dudalen nesaf (Uned 12c) a phenderfynwch beth fydd angen i chi ddod gyda chi i'r wers nesaf.

Pethau i'w gwneud

Defnyddio pelydrau o olau

➤ Dewiswch naill ai'r • **camera pindwll** (isod)
neu'r • **perisgop** (y dudalen nesaf)
ac yna ei adeiladu.

Gwneud camera pindwll

➤ Edrychwch ar y diagramau ac yna
penderfynwch sut i wneud y camera.

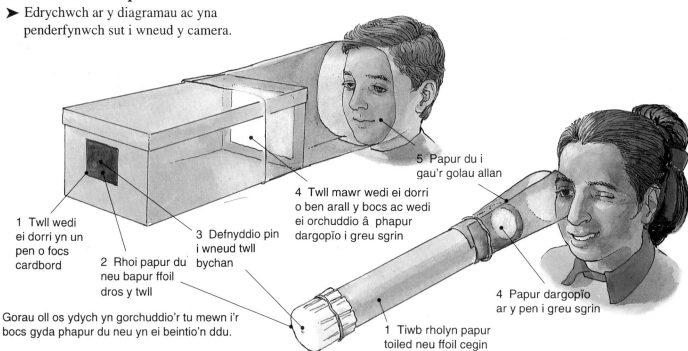

5 Papur du i
gau'r golau allan

4 Twll mawr wedi ei dorri
o ben arall y bocs ac wedi
ei orchuddio â phapur
dargopïo i greu sgrin

1 Twll wedi
ei dorri yn un
pen o focs
cardbord

3 Defnyddio pin
i wneud twll
bychan

2 Rhoi papur du
neu bapur ffoil
dros y twll

4 Papur dargopïo
ar y pen i greu sgrin

1 Tiwb rholyn papur
toiled neu ffoil cegin

Gorau oll os ydych yn gorchuddio'r tu mewn i'r
bocs gyda phapur du neu yn ei beintio'n ddu.

➤ Defnyddiwch eich camera i edrych ar fwlb golau neu edrych trwy'r ffenestr.

a Beth welwch chi?

b Pa ffordd mae'r *ddelwedd* yn sefyll? (Dywedwn ei bod wedi ei *gwrthdroi*.) Fedrwch chi egluro hyn?
(Awgrym: Meddyliwch am belydrau'r haul sy'n dod i mewn trwy'r twll.)

c Ym mha ffordd allai arlunydd ddefnyddio'r camera hwn wrth beintio?

ch Ble fyddai angen i chi osod y ffilm pe byddech am
dynnu ffotograff?

d Beth fyddai'n digwydd pe byddech yn gwneud y pindwll
yn lletach? Rhowch gynnig ar hyn.
Ydy'r ddelwedd yn fwy disglair neu'n dywyllach? Pam?
Ydy'r ddelwedd yn berffaith glir neu'n fwy aneglur? Pam?

dd Eglurwch sut mae eich camera yn gweithio gan
ddefnyddio'r geiriau:

> *pelydrau o olau*   *pindwll*   *llinellau syth*   *delwedd*

e Sut mae dyblu maint y ddelwedd?

• Os oes gennych amser, gwnewch y pindwll yn llawer mwy
ac yna gosod lens dros y twll. Symudwch y·lens nes bydd
gennych ddelwedd glir a disglair. Rydych wedi gwneud
camera lens.

Ffotograff wedi ei dynnu â chamera pindwll

Gwneud perisgop

➤ Edrychwch ar y diagramau hyn a gwnewch eich perisgop eich hun.

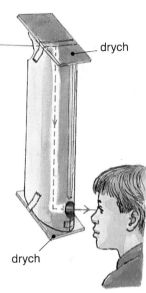

drych

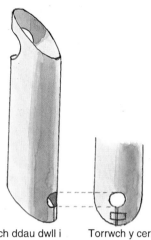

drych

1 Rholyn o gardbord (neu diwb o ganol rholyn papur ffoil, neu'r bocs sydd amdano, neu ddau neu dri tiwb o ganol rholyn papur toiled).

2 Torrwch y pennau ar ongl o 45° fel yn y diagram.

3 Torrwch ddau dwll i edrych trwyddynt, fel yn y diagram.

Gall y twll isaf fod yn fach ond gwnewch yr un uchaf mor fawr ag sy'n bosibl.

Torrwch y cerdyn ac yna rhowch dâp gludiog arno.

4 Gosodwch y drychau yn eu lle gyda thâp gludiog.

Symudwch y drychau fel bo'r angen – a'r tyllau hefyd, nes byddwch yn gallu gweld yn glir trwy'r perisgop.

➤ Defnyddiwch eich perisgop i edrych dros ben gwrthrych (e.e. y bwrdd neu silff y ffenestr).

f Beth welwch chi? Rydych yn edrych ar **ddelwedd** yn y drychau.

ff Disgrifiwch y ddelwedd rydych yn ei gweld. Er enghraifft:
- Ydy'r ddelwedd yn sefyll i fyny fel y gwrthrych?
- Ydy'r ddelwedd yr un faint â'r gwrthrych?
- Ydy'r ddelwedd yr un lliw â'r gwrthrych?

g Fedrwch chi ddefnyddio'r perisgop i weld rownd y gornel?

ng Meddyliwch am wahanol ffyrdd o ddefnyddio'r perisgop. Gwnewch restr ohonyn nhw.

h Sut allech chi newid cynllun y persigop i weld tuag yn ôl dros eich pen? Gwnewch fraslun ohono.

i Eglurwch sut mae eich perisgop yn gweithio, gan ddefnyddio:

> **pelydrau o olau   llinellau syth   drych uchaf**
> **plân   drych isaf   llygad   delwedd**

1 Copïwch a chwblhewch:
Mewn .... pindwll, mae'r .... o olau yn mynd i mewn trwy'r .... ac yn mynd mewn llinellau .... at y sgrin lle mae'r .... yn cael ei chreu. Mae'r ddelwedd yn un sydd wedi ei .... (â'i phen i lawr). Os yw'r pindwll yn cael ei wneud yn ...., mae'r ddelwedd yn fwy disglair ond yn fwy aneglur.

2 Eglurwch sut allech chi droi camera pindwll yn gamera lens. Beth yw mantais gwneud hyn?

3 Copïwch a chwblhewch:
Mewn perisgop, mae'r .... o olau yn mynd i mewn trwy'r twll uchaf ac yn cael eu .... gan y drych uchaf. Maen nhw'n mynd .... y tiwb at y .... isaf ac yno yn cael eu .... i'ch .... fel eich bod yn gallu gweld ....

4 Mae gyrrwr car yn tynnu carafán, ond mae'r garafán yn ei rwystro rhag gweld adlewyrchiad yn y drych gyrru. Cynlluniwch berisgop i ddatrys y broblem, a lluniwch fraslun wedi ei labelu.

Pethau i'w gwneud

Sain ar symud

➤ Eisteddwch yn ddistaw a **gwrando**. Gwnewch restr o'r holl synau glywch chi mewn un munud.

➤ Ysgrifennwch gymaint o eiriau sy'n disgrifio sŵn ag y gallwch. Er enghraifft, bang, crash, ...

➤ Gwnewch sain 'aaa' a chyffwrdd blaen eich gwddf ar yr un pryd. Ydych chi'n teimlo'r **dirgryniad**?

Daliwch bren mesur dros ymyl y ddesg.
Gwnewch iddo ddirgrynu trwy ei daro yn ysgafn.

a Beth mae pen y pren mesur yn ei wneud?

b Pryd mae'r sain mae'n ei wneud yn stopio?

c Sut mae gwneud y sain yn dawelach?
Sut mae gwneud y sain yn gryfach?

ch Sut mae cynhyrchu nodyn uwch?
Ac yna nodyn is?
Canwch alaw syml arno – e.e. 'Dau gi bach'.

Gwnewch gamau **a** i **ch** eto gyda'r ddau 'offeryn' sydd yn y diagram.

Beth rydych yn ei ddarganfod? Oes patrwm i'w weld yma? Ysgrifennwch eich casgliadau eich hun.

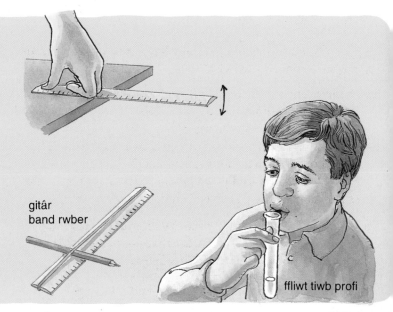

gitâr
band rwber

ffliwt tiwb profi

Er mwyn gwneud i'r pren mesur ddirgrynu, roedd rhaid rhoi **egni** iddo.

d O ble daeth yr egni hwn?

Mae'r pren mesur yn anfon tonnau sain trwy'r aer. Mae peth o'r egni sain hwn yn mynd i'ch clust, ac yna rydych yn clywed y sain.

Mae sain yn gallu teithio yn bell. Mewn storm o fellt a tharanau, rydych yn gweld fflach y fellten, ac yna, ymhen ychydig, fe glywch ei sŵn (y daran).

dd Beth sy'n teithio gyflymaf, golau neu sain?

Mae sain yn teithio tua 330 metr yr eiliad. (Mae golau yn teithio bron filiwn gwaith yn gyflymach – tua 300 000 000 metr yr eiliad)

e Pa mor bell fydd sain yn teithio mewn 2 eiliad?

f Os ydych yn clywed sŵn taran 10 eiliad ar ôl gweld y fellten, pa mor bell i ffwrdd yw'r storm?

Atsain

Pe byddech yn curo eich dwylo o flaen adeilad uchel, efallai y byddech yn clywed **atsain**.

Mae hyn yn digwydd oherwydd bod y tonnau sain yn cael eu *hadlewyrchu* yn ôl tuag atoch. Mae'r adeilad fel drych.

Pe byddech yn clywed yr atsain ar ôl 2 eiliad:

ff Faint o amser gymerodd y sain i *gyrraedd y wal*?

g Os yw buanedd sain yn 330 metr yr eiliad, pa mor bell i ffwrdd yw'r wal?

tonnau sain yn symud tuag at y wal

clap

ac yn ôl eto

Seinblymiwr

Mae morwyr yn gallu defnyddio *seinblymiwr* neu *sonar* i ddarganfod dyfnder y môr.

Pe byddai'r llong yn anfon ton sain allan, a phe byddai'r atsain yn dod yn ôl ymhen 1 eiliad:

ng Faint o 'amser gymerodd hi i'r sain gyrraedd gwely'r môr? Mae sain yn teithio'n gyflymach mewn dŵr. Mae'n symud 1500 metr yr eiliad bryd hynny.

h Pa mor bell fydd y sain yn teithio mewn $\frac{1}{2}$ eiliad?

i Pa mor ddwfn yw'r môr o dan y llong?

j Os yw'r pysgod sydd yn y diagram yn nofio o dan y llong, sut fydd y capten yn gwybod eu bod yno?

Mae'r sain a ddefnyddir gan y sonar yn llawer rhy uchel i ni ei glywed. Yr enw arno yw sain **uwchsonig** neu **uwchsain**.

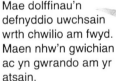

Mae dolffinau'n defnyddio uwchsain wrth chwilio am fwyd. Maen nhw'n gwichian ac yn gwrando am yr atsain.

Mae ystlumod hefyd yn defnyddio seiniau uwchsonig, er mwyn dod o hyd i'w bwyd a gallu 'gweld' yn y tywyllwch.

➤ Cynlluniwch ymchwiliad i ddarganfod buanedd sain.
- Pa offer fyddai eu hangen arnoch?
- Pa fesuriadau fyddech yn eu gwneud?
- Sut fyddech yn cyfrifo'r buanedd?

---

1 Copïwch a chwblhewch:
a) Mae pob .... yn cael ei achosi gan ddirgryniadau.
b) Mae atsain yn digwydd oherwydd .... sain.
c) Buanedd sain yw 330 .... yr eiliad.

2 Meddyliwch am y swn sydd yn ffreutur yr ysgol. Rhestrwch awgrymiadau ar gyfer gwneud y lle yn dawelach.

3 Wrth wylio gêm griced o bell, mae'n ymddangos fel pe bai'r bêl yn taro'r bat cyn i chi ei chlywed yn taro. Eglurwch hyn.

4 Mae Caren yn clywed atsain o'r clogwyn ar ôl 4 eiliad. Pa mor bell yw hi o'r clogwyn?

5 Ysgrifennwch gerdd gan ddefnyddio cymaint o eiriau sy'n disgrifio sain ag sy'n bosibl.

Pethau i'w gwneud

Clywch, clywch!

➤ Edrychwch ar y diagram hwn o'r glust.
Edrychwch yn ofalus ar y gwahanol rannau.

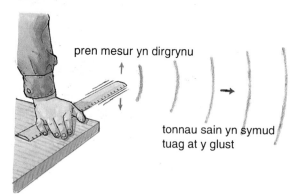

pren mesur yn dirgrynu

tonnau sain yn symud tuag at y glust

y glust allanol

3 asgwrn bychan

nerfau yn mynd â negeseuon i'r ymennydd

camlas y glust

tympan y glust

tiwb y gwddf wedi ei gysylltu â'r gwddf

cochlea (troellen y gl... yn cynnwys hylif a chello... nerfol

Mae'r pren mesur yn dirgrynu ac yn creu tonnau sain. Mae'r tonnau hyn yn teithio trwy'r aer ac yn gwneud i **dympan** eich clust ddirgrynu.

Mae hyn yn gwneud i'r 3 asgwrn bach ddirgrynu. Yna, mae'r hylif sydd yn y **cochlea** yn dirgrynu. Mae hyn yn effeithio ar y celloedd nerfol sydd yn y cochlea ac anfonir neges i'r ymennydd ... ac felly rydych yn clywed y sain.

➤ Bydd eich athro/athrawes yn rhoi copi o'r diagram hwn i chi.
Llanwch y bylchau yn y diagram â'r geiriau cywir.

Edrych ar ôl eich clustiau

Mae'r glust yn fregus iawn, ac felly mae'n hawdd gwneud niwed iddi. Gall unrhyw niwed effeithio ar eich clyw, a'ch gwneud yn fyddar.

- Gall camlas y glust gau oherwydd cwyr. Bydd meddyg yn gallu ei golchi'n lân.

- Mae'n bosibl i sŵn sydyn uchel iawn neu haint effeithio ar dympan y glust, a'i rwygo. Gall wella ohono'i hun, neu gall meddyg impio un newydd.

- Gall esgyrn y glust lynu wrth ei gilydd gan fethu dirgrynu'n iawn. Gall triniaeth lawfeddygol wella hyn.

- Efallai bydd y 'glust ganol' (sef yr esgyrn bychain a thiwb y gwddf) yn datblygu haint. Gwrthfiotigau fydd yn gwella hyn.

- Gall sŵn uchel niweidio'r cochlea – e.e. cyngherddau pop, peiriannau swnllyd, neu wrando ar gerddoriaeth trwy glustffonau. **Nid** oes gwella i'r cyflwr hwn!

Wrth i bobl heneiddio, nid yw eu clustiau yn gweithio cystal. Gall person sy'n drwm ei glyw wisgo **cymorth clywed**. Mae hwn yn **mwyhau'r** sain ac yn ei wneud yn gryfach.

Amddiffyn y clustiau yn y gwaith

Sut mae maint y glust allanol yn effeithio ar eich clyw?

Ceisiwch ddarganfod a yw maint y glust allanol yn effeithio ar ba mor dda rydych yn clywed synau gwan.

Gallwch wneud eich 'clustiau' eich hun yn fwy trwy ddefnyddio cerdyn.
- Pa sŵn gwan fyddwch chi'n ceisio ei glywed?
- Sut mae cynnal prawf teg o feintiau gwahanol o glustiau?
- Sut fyddwch yn cofnodi eich canlyniadau?

Rhowch gynnig ar yr ymchwiliad. Beth rydych yn ei ddarganfod?

Ai *maint* neu *siâp* y glust sy'n bwysig, neu'r ddau beth?

Gwnewch fraslun o'r siapiau rydych wedi eu defnyddio.

Galago yw hwn. Beth fedrwch chi ei ddweud amdano?

Ydy dwy glust yn well nag un?

Ceisiwch ddarganfod a yw'n haws dweud o ba gyfeiriad mae sŵn yn dod gyda dwy glust neu gydag un.

- Sut fyddwch yn gofalu mai ei glustiau yn unig fydd y person yn eu defnyddio?
- Beth fyddwch yn ei ddefnyddio i wneud y sŵn?
- Sut fyddwch yn gofalu bod y prawf yn un teg?
- Sut fyddwch yn cofnodi eich canlyniadau? Ydy hi'n bosibl eu cofnodi ar ddiagram neu ar fap?

Dangoswch eich cynllun i'ch athro/athrawes ac yna rhowch gynnig ar gynnal yr ymchwiliad.

Beth rydych yn ei ddarganfod? Pa un sydd orau: un glust neu ddwy?

Ydy rhai pobl yn clywed yn well o un cyfeiriad na'r llall?

Ysgrifennwch adroddiad yn egluro beth wnaethoch a beth oedd eich darganfyddion.

---

1 Rydych yn clywed rhywun yn chwarae ar dant gitâr. Eglurwch, gam wrth gam, beth sy'n digwydd rhwng tant y gitâr a'ch ymennydd chi.

2 Cynlluniwch boster i annog pobl ifanc yn eu harddegau i edrych ar ôl eu clustiau yn well.

3 Mae pobl yn rhoi eu dwylo y tu ôl i'w clustiau ambell waith er mwyn ceisio clywed rhywbeth yn well. Eglurwch hyn, gan ddefnyddio'r holl eiriau hyn os yw'n bosibl.

dirgryniadau	tonnau sain	
adlewyrchiad		fel drych
ceugrwm	egni sain	clust

Pethau i'w gwneud

Cwestiynau

1 Lluniwch gynllun goleuo ar gyfer eich ystafell wely. Dangoswch ble fyddech yn gosod y goleuadau, a'r lle gorau i osod drychau er mwyn gwneud yr ystafell yn fwy golau.

2 Mae gan y rhan fwyaf o anifeiliaid ddau lygad. Mae llygaid anifeiliaid sy'n hela (e.e. tylluanod) ar flaen eu pennau. Mae llygaid anifeiliaid sy'n cael eu hela (e.e. cwningod) ar ochr eu pennau. Beth yw'r rheswm dros hyn, yn eich barn chi?

3 Edrychwch ar eich pin ysgrifennu. Eglurwch sut rydych yn gallu ei weld.

4 Cynlluniwch ymchwiliad i weld a yw peli snwcer (neu beli tennis) sy'n cael eu bwrw oddi ar wal yn dilyn yr un rheol â phelydrau o olau. Lluniwch ddiagram ac eglurwch sut fyddech yn cynnal yr ymchwiliad.

5 Ceisiwch ddod o hyd i 6 phriflythyren sy'n dilyn ei gilydd yn yr wyddor ac sy'n edrych yr un fath pan fydd drych yn cael ei osod i adlewyrchu hanner y llythyren. Pa lythrennau eraill sy'n gymesur?

6 Lluniwch fap o dro peryglus ar y ffordd. Dangoswch y lle gorau i osod drych a fyddai'n gwneud y tro yn fwy diogel i yrwyr.

7 Mae'r diagram yn dangos ochr camera pindwll. Mae coeden o flaen y camera. Copïwch y diagram ac yna lluniwch belydryn o ben ucha'r goeden a phelydryn o waelod y goeden. Defnyddiwch hyn i egluro pam mae'r ddelwedd yn un wrthdro.

8 Eglurwch yn eich geiriau eich hun sut mae ystlum yn gwybod pa ffordd i fynd yn y nos.

9 a) Dychmygwch fod mellten yn taro rhywbeth 660 metr oddi wrthych. Disgrifiwch ac eglurwch yr hyn fyddech yn ei weld. (Buanedd sŵn yw 330 metr yr eiliad.)
   b) Mae awyren yn hedfan ar fuanedd o Mach 4. Buanedd sŵn yw Mach 1. Beth yw buanedd yr awyren?

10 Cynlluniwch ymchwiliad i weld a yw plant yn clywed yn well nag oedolion. Sut mae gofalu bod hwn yn brawf teg?

Mynegai